その日《ひ》 人類《じんるい》は思《おも》い出《だ》した
ヤツらに
ていた恐怖《きょうふ》を…
鳥籠《とりかご》の中《なか》
ていた屈辱《くつじょく》を……

第《だい》1話《わ》　二千年後《せんねんご》の君《きみ》へ

進《しん》撃《げき》の巨《きょ》人《じん》

attack on titan

1

諫《いさ》山《やま》 創《はじめ》

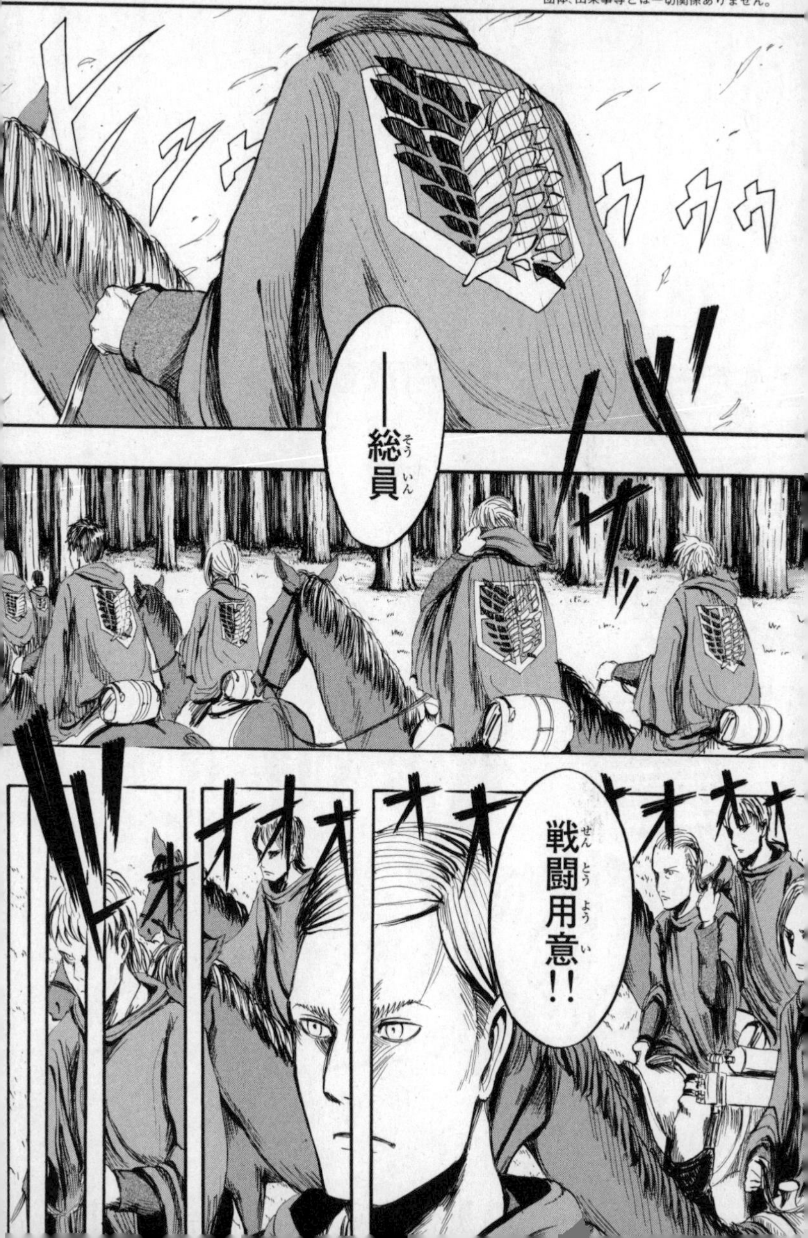
——総員《そういん》
戦闘用意《せんとうようい》!!

目標《もくひょう》は一体《たい》だ!!
必《かなら》ず仕留《しと》めるぞ!!

……!!
目標《もくひょう》との距離《きょり》400!!
こちらに向《む》かって来《き》ます!!
ギャオォォォ

訓練《くんれん》通《どお》り5つに分《わ》かれろ!!
囮《おとり》は我《われ》々《われ》が引《ひ》き受《う》ける!!
目《もく》標《ひょう》距《きょ》離《り》100!!

全《ぜん》攻《こう》撃《げき》班《はん》!!立《りっ》体《たい》機《き》動《どう》に移《うつ》れ!!

ズッ

全方向《ぜんほうこう》から同時《どうじ》に叩《たた》くぞ!!

人類《じんるい》の力《ちから》を!!
思《おも》い知《し》れッッ!!

いってらっしゃい
エレン
——エレン
エレン!!
ん……?
起《お》きて
もう帰《かえ》らないと日《ひ》が暮《く》れる
……?
…あれ?

ミカサ…
…お前《まえ》…
髪《かみ》が伸《の》びてないか…?
………
そんなに寝《ね》ぼけるまで熟睡《じゅくすい》してたの?
イヤッ…なんかすっげー長《なが》い夢《ゆめ》を見《み》ていた気《き》がするんだけど
………
……!!
何《なん》だったっけ思《おも》い出《だ》せねえな…
エレン?
どうして
泣《な》いてるの?
え…?

え…!?
845

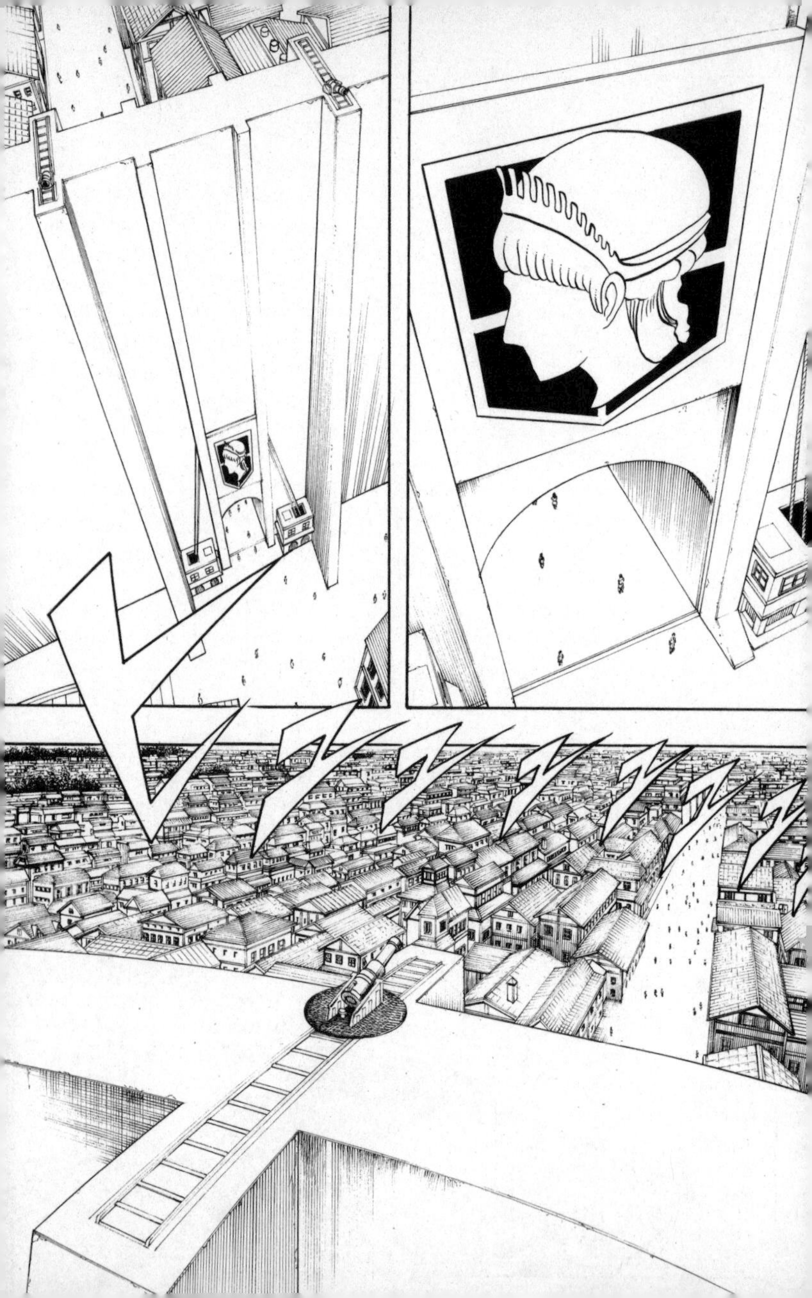

ズズズ…
……
……
言《い》うなよ…誰《だれ》にも
オレが泣《な》いてたとか…
……言《い》わない
でも…理由《りゆう》もなく涙《なみだ》が出《で》るなんて
一度《いちど》おじさんに診《み》てもらったら?
バカ言《い》え! 親父《おやじ》に言《い》えるかこんなこと
何泣《なになな》いてんだエレン?
!!
ハ…ハンネスさん

ミカサに何か怒《おこ》られたのか《なん》?
は!? なんでオレが泣《な》くんだよ!…って
ブホッ
酒《さけ》くさ!!
!!
え……!?
また…飲《の》んでる…
お前《まえ》らも一緒《いっしょ》にどうだ?
イヤ…あの…仕事《しごと》は?
おう! 今日《きょう》は門兵《もんぺい》だ!

一日中《いちにちじゅう》ここにいる わけだから やがて 腹《はら》が減《へ》り喉《のど》も渇《かわ》く
飲《の》み物《もの》の中《なか》に たまたま 酒《さけ》が混《ま》じっていたことは 些細《ささい》な問題《もんだい》にすぎねぇ
そんなんで イザッて時《とき》に 戦《たたか》えんの!?
……
イザッて時《とき》って 何《なん》だ?
……!! 何《なに》言《い》ってんだよ 決《き》まってんだろ!
ヤツらが 壁《かべ》を壊《こわ》して!!
街《まち》に入《はい》って 来《き》た時《とき》だよ!!

おいエレン！急《きゅう》に大声《おおごえ》出《だ》すんじゃねぇよ…
ハハハ…元気《げんき》がいいな医者《いしゃ》のせがれ！！
ヤツらが壁《かべ》を壊《こわ》すことがあったら そらしっかりやるさ
しかしな
そんなこと100年間《ねんかん》で一度《いちど》もないんだぜ
で…でも！そーやって安心《あんしん》している時《とき》が危《あぶ》ないって
父《とう》さんが言《い》ってたんだ！！
まぁ…確《たし》かにそうかもな
街《まち》の恩人《おんじん》のイェーガー先生《せんせい》には頭《あたま》が上《あ》がらねぇんだけど…
でもなぁ…
兵士《へいし》になれば壁《かべ》の補《ほ》強《きょう》作《さ》業《ぎょう》とかで壁《かべ》の外《そと》をうろつくヤツらを見《み》かける機会《きかい》があるんだが…

ヤツらに
この50ｍの壁《かべ》を
どうこう出来《でき》るとは
思《おも》えねぇんだ
じゃあ　そもそも
ヤツらと戦《たたか》う
覚悟《かくご》なんか
ねぇんだな!?
ねぇな！
なっ…なんだよ!!
もう「駐屯兵団《ちゅうとんへいだん》」なんて
名乗《なの》るのやめて
「壁工事団《かべこうじだん》」にしろよ!!
それも
悪《わる》くねぇ！
しかしな
エレン…
兵士《へいし》が活躍《かつやく》する
ってことは
それこそ最悪《さいあく》の
時《とき》だ…
オレ達《たち》が役立《やくた》たずの
「タダメシ食《ぐ》らい」って
馬鹿《ばか》にされてる時《とき》の方《ほう》が
みんなは平和《へいわ》に
暮《く》らせるんだぞ？
……!!

ハンネスの言《い》う通《とお》りだ
まったく…壁《かべ》の外《そと》に出《で》ようっていう「調査兵団《ちょうさへいだん》」の連中《れんちゅう》の気《き》が知《し》れねぇ…
!!
勝手《かって》に戦争《せんそう》ごっこに興《きょう》じてろってな!!
……!!
一生《いっしょう》壁《かべ》の中《なか》から出《で》られなくても……
メシ食《く》って寝《ね》てりゃ生《い》きていけるよ…でも…それじゃ…
まるで
家畜《かちく》じゃないか…
…けっ
おかしなヤツだな…
…!!
まさかあいつ…
調査兵団《ちょうさへいだん》に入《はい》りたいのか…?

……
ボソ
…エレン
調査兵団《ちょうさへいだん》はやめた方《ほう》がいい…
!!
なんだよ……
オマエも調査兵団《ちょうさへいだん》をバカにすんのか!?
…
……バカにするとか
そういう問題《もんだい》じゃ
!!

調査兵団《ちょうさへいだん》が帰《かえ》ってきたんだ!!
正面《しょうめん》の門《もん》が開《ひら》くぞ!
…英雄《えいゆう》の凱旋《がいせん》だ…!!
行《い》くぞミカサ!

ザワザワザワ
タッタッ
クソー 人垣《ひとがき》で 見《み》えねー
ギシッ
ザワザワ
スッ
ザワ…

ザワ
ザワ
ザワ
ザワ
ザワ

……!!
これだけしか帰《かえ》ってこれなかったのか…
ザワ
ザワ
今回《こんかい》もひどいな…
ザワ
100人《にん》以上《いじょう》で調査《ちょうさ》に向《む》かったハズなのに…
ザワ
……
20人《にん》もいないぞ……みんな…食《く》われちまったのか…
ザワ
ブラウン!!
ブラウン!!
!!
あの…息子《むすこ》が…ブラウンが見当《みあ》たらないんですが…
息子《むすこ》は…どこでしょうか…!?

……!!
ブラウンの母親《ははおや》だ…
……
持ってこい
……
……え?

それだけしか
取《と》り返《かえ》せませんでした…
…うぅ……
うぁ……
うああああぁぁ
うぁああぁああ
う…うぅ…
…でも…
息子《むすこ》は…
役《やく》に立《た》ったのですよね……
……!!

何《なに》か直接《ちょくせつ》の手柄《てがら》を立《た》てたわけではなくても!!
息子《むすこ》の死《し》は!! 人類《じんるい》の反撃《はんげき》の糧《かて》になったのですよね!!?
もちろん――!
……
……

……
……イヤ……
ドオオォオオ
今回《こんかい》の調査《ちょうさ》で……
我々《われわれ》は……今回《こんかい》も……
……‼
なんの成果《せいか》も‼
得《え》られませんでした‼

私《わたし》が無能《むのう》な
ばかりに……!!
ただ　いたずらに
兵士《へいし》を死《し》なせ…!!
ヤツらの正体《しょうたい》を…!!
突《つ》きとめることが
できませんでした!!
ウオオオオオオオ

……ひでぇ もんだな
ザワ
壁《かべ》の中《なか》にさえ いれば 安全《あんぜん》に暮《く》らせる のに…
兵士《へいし》なんて 税《ぜい》の無駄遣《むだづか》いだ ……
ザワ
ザワ
………
ザワ
……!?
まったくだ…
これじゃあ オレらの税《ぜい》で ヤツらにエサをやって 太《ふと》らせてるような もんだなぁ
ザワ
!!?
ゴッ
ホッ!?
なにすんだ クソガキ!!

オイ…!!
もういいだろ!!
フッ!!
パコーン
何《なに》すんだよ!!薪《まき》が散《ち》ったじゃねえか!
…エレン
調《ちょう》査《さ》兵《へい》団《だん》に入《はい》りたいって気《き》持《も》ちは…
変《か》わった……?
!!
………
手《て》伝《つだ》えよ拾《ひろ》うの…

ただいま
ガチャ
おかえりなさい
遅《おそ》かったのね 二人《ふたり》とも
イヤ… まぁ……
ガラ ガラ ガラ ガラ
色々《いろいろ》あって…

アレ？ 父《とう》さん 今《いま》から出《で》かけるの？
ああ 2つ上《うえ》の街《まち》に 診療《しんりょう》だ
…エレンが…
調査兵団《ちょうさへいだん》に 入《はい》りたいって…
ミ…ミカサ!! 言《い》うなって
エレン!!
何《なに》を考《かんが》えて いるの!?
壁《かべ》の外《そと》に 出《で》た人類《じんるい》が どれだけ 死《し》んだか 分《わ》かってるの!?
わ…分《わ》かってるよ!!
……

エレン
どうして外《そと》に出《で》たいんだ?
外《そと》の世界《せかい》がどうなっているのか
何《なに》も知《し》らずに一生《いっしょう》壁《かべ》の中《なか》で過《す》ごすなんて嫌《いや》だ!!
それに…
ここで誰《だれ》も続《つづ》く人《ひと》がいなかったら
今《いま》までに死《し》んだ人達《ひとたち》の命《いのち》が無駄《むだ》になる!
…そうか…
船《ふね》の時間《じかん》だそろそろ行《い》くよ
ガタッ
ちょっと…あなた!

エレンを説得《せっとく》して!!
カルラ…
ガチャ
人間《にんげん》の探求心《たんきゅうしん》とは誰《だれ》かに言《い》われて抑《おさ》えられるものではないよ
!!
………
……
…エレン
帰《かえ》ったら…ずっと秘密《ひみつ》にしていた地下室《ちかしつ》を…
見《み》せてやろう
ほ…本当《ほんとう》に!?
…エレン
…なに?

駄目《だめ》だからね
調査《ちょうさ》兵団《へいだん》なんてバカなマネ――
は!?
バカだって…!?
オレには…家畜《かちく》でも平気《へいき》でいられる人間《にんげん》の方《ほう》が
よっぽどマヌケに見《み》えるね!
ザッ
ザッ
ザッ
………!!
…エレン
……
ミカサ
あの子《こ》はだいぶ危《あぶ》なっかしいから…
困《こま》った時《とき》は二人《ふたり》で助《たす》け合《あ》うんだよ
うん!
コクッ

どうした異端者《いたんしゃ》
悔《くや》しかったら殴《なぐ》り返《かえ》してみろよ!
そ…そんなことするもんか! それじゃお前《まえ》らと同《どう》レベルだ!!
何《なん》だと!?
僕《ぼく》が言《い》ったことを正《ただ》しいと認《みと》めているから…
言《い》い返《かえ》せなくて殴《なぐ》ることしか出来《でき》ないんだろ?
そ…それは! 僕《ぼく》に降参《こうさん》したってことじゃないのか!?
う……うるせぇぞ屁理屈野郎《へりくつやろう》!!
やめろ!!
何《なに》やってんだお前《まえ》ら!!

エレンだ!!
あの野郎《やろう》
今日《きょう》こそ
ぶちのめすぞ!!
うおおおおお
んっ!?
ザッ
あッ!!?
うわぁああああああ
だ…駄目《だめ》だ
ミカサが
いるぞ!!
おぉ…あいつら…
…オレを見《み》て
逃《に》げやがった!
イ…イヤ
ミカサを見《み》て
逃《に》げたんだろ
…
ズル
イテテ…
オイ!
大丈夫《だいじょうぶ》か
アルミン?
!!
……
ひ…一人《ひとり》で立《た》てるよ
ん?
そうか…?

——それで 人類《じんるい》は いずれ
外《そと》の世界《せかい》に 行《い》くべきだって 言《い》ったら
殴《なぐ》られた
異端《いたん》だって
グスン
くっそー 外《そと》に出《で》たいって だけで何《なん》で 白《しろ》い目《め》で 見《み》られるんだ
ポチャン
そりゃ… 壁《かべ》の中《なか》にいるだけで 100年《ねん》ずっと 平和《へいわ》だったからだ
下手《へた》に外《そと》に出《で》ようとして ヤツらを壁《かべ》の中《なか》に 招《まね》くようなことが 起《お》きないように
王政府《おうせいふ》の方針《ほうしん》として 外《そと》の世界《せかい》に 興味《きょうみ》を持《も》つこと自体《じたい》を タブーにしたんだ
つまり王様《おうさま》 ビビリすぎっつー だけの話《はなし》だ!
…そうなんだよ
でも本当《ほんとう》に それだけの理由《りゆう》 なんだろうか?
自分《じぶん》の命《いのち》を 懸《か》けるんだ
オレらの 勝手《かって》だろ!
絶対《ぜったい》
駄目《だめ》

……
…駄目《だめ》
そーいや お前《まえ》 よくも親《おや》に バラしたな!!
え!?
協力《きょうりょく》した 覚《おぼ》えは ない
で… どうだった…
そりゃあ 喜《よろこ》ばれは しない…
…そりゃ そうだよ…
なっ なんだよ オマエも やめろって 言《い》うのか!?
だって… 危険《きけん》だし…
気持《きも》ちは 分《わ》かるけど
確《たし》かに この壁《かべ》の中《なか》は 未来永劫安全《みらいえいごうあんぜん》だと 信《しん》じきってる人《ひと》は どうかと思《おも》うよ
100年《ねん》 壁《かべ》が 壊《こわ》されなかったから といって
今日壊《きょうこわ》されない 保証《ほしょう》なんか どこにもないのに…

!!?
は……!?
な…何《なん》だ!?
地震《じしん》ってやつか!?
…え?
ザワッ
行《い》ってみよう!!

カランカラン
カランカラン
タタタ
アルミン 一体《いったい》何《なに》が…!?
オ…オイ…何《なに》が見《み》えるってんだよ!?

ビキ
ビキ
……!?
そんな…!!
あ…あの壁《かべ》は……ご…50m…だぞ……
…あ……
………ヤツだ……

巨《きょ》人《じん》だ

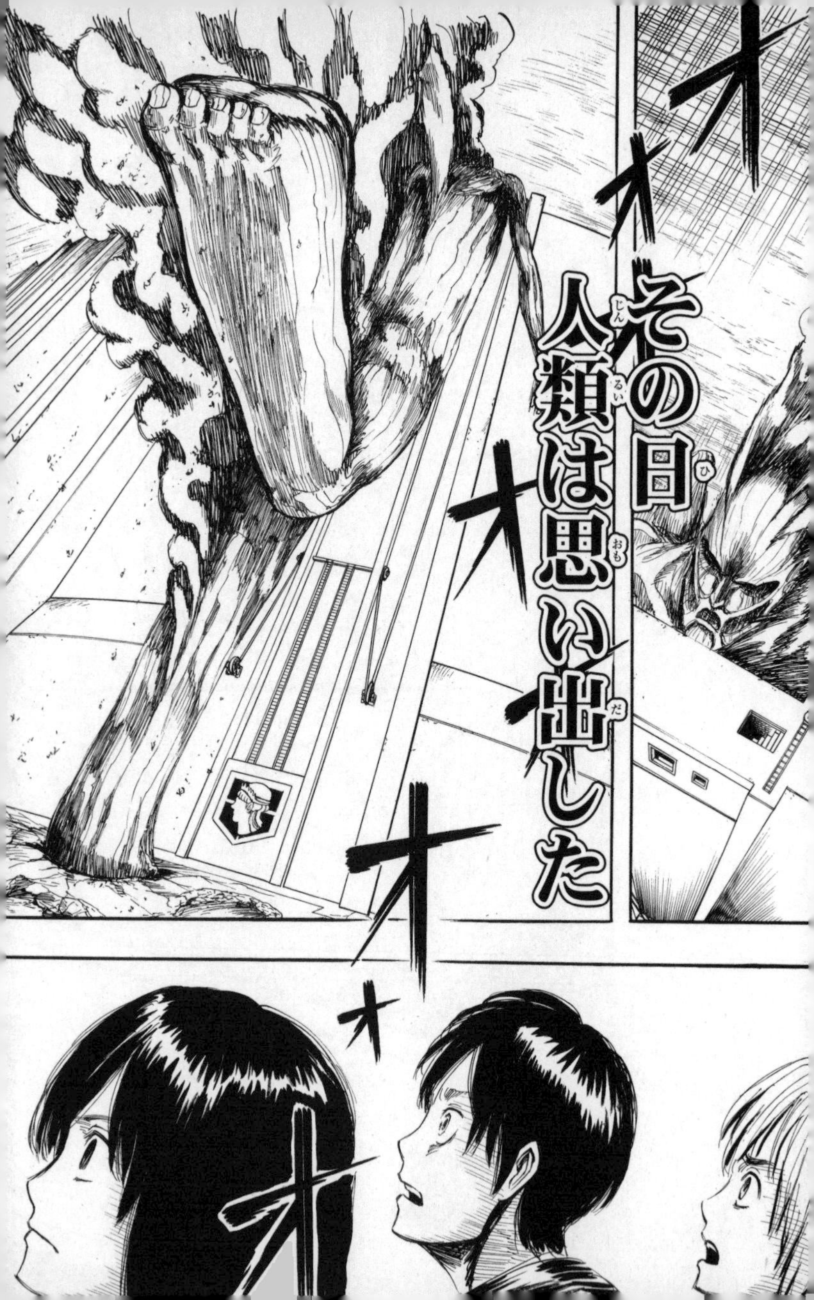

オオオオオオ
その日《ひ》
人《じん》類《るい》は思《おも》い出《だ》した

ヤツらに
支《し》配《はい》されていた恐《きょう》怖《ふ》を…

鳥《とり》籠《かご》の中《なか》に
オオオオオオ
囚《とら》われていた屈《くつ》辱《じょく》を……

第《だい》2話《わ》 その日《ひ》
周知《しゅうち》の通《とお》り今《いま》から107年《ねん》前《まえ》
我々《われわれ》以外《いがい》の人類《じんるい》は…皆《みな》
巨人《きょじん》に食《く》い尽《つ》くされた

その後《ご》 我々《われわれ》の先祖《せんぞ》は巨人《きょじん》の越《こ》えられない強固《きょうこ》な「壁《かべ》」を築《きず》くことによって
巨人《きょじん》の存在《そんざい》しない安全《あんぜん》な領域《りょういき》を確保《かくほ》することに成功《せいこう》したが…
それも5年《ねん》前《まえ》までの話《はなし》…

諸君《しょくん》らの中《なか》にはその場《ば》に居合《いあ》わせた者《もの》も少《すく》なくないだろう
5年前《ねんまえ》 再《ふたた》び惨劇《さんげき》は起《お》きた

あ……
ありえない
巨人《きょじん》は最大《さいだい》でも
15ｍのはず……！
50ｍの壁《かべ》から頭《あたま》を出《だ》す
なんて――
!?
動《うご》くぞ!!
ゴゴゴゴ
ゴ

ドドッ
オオオ

ドオオオォオ!!
…ッ!!?
オオオオオオオ
ヒュ
ウウウウウウウウウウ
ドドオ
ドド

……あ……
……
か…
壁《かべ》に……
……!!
穴《あな》を空《あ》けられた…!?

ひッ…!!
逃《に》げるぞ
二人《ふたり》とも!
早《はや》くしないと
次々《つぎつぎ》と巨人《きょじん》が入《はい》って
くる!!
!?
エレン!?

壁《かべ》の破片《はへん》が
飛《と》んでった先《さき》に家《うち》が!!
母《かあ》さんが!!
!!
ミカサ!!
……!
……!
ハァッ
ハァッ
……!!
ブル
ブル
うう……!!
ハァッ
ハァッ
もう…駄目《だめ》なんだ…
この街《まち》は…もう…
無数《むすう》の巨人《きょじん》に
占領《せんりょう》される!!

わああ
タッ
タッ
タッ
ハアッ
ハアッ
家《うち》に当《あ》たってるわけがない
ハアッ
……!!
ハアッ
タッ
タッ
ハアッ
とっくに逃《に》げたに決《き》まってる…
あの角《かど》を曲《ま》がれば……
ハアッ
いつもの家《うち》が…
ハアッ
ハアッ
タッ
タッ
!!
タッ
いつもの……
ハッ……!!
…———クソッ!!

母《かあ》さん!!
ハアッ
ハアッ
ハアッ
ハアッ
ハアッ
母《かあ》さん…？
!!
ピクッ
……
エレンかい？
ミカサ！
そっちを
持《も》て!!
この柱《はしら》を
どかすぞ!!
行《い》くぞ!!
せーの!!

ヴオオオオー
!!?
うッ……!!
……?
……
……

ミカサ 急《いそ》げ!!
わかってる
急《いそ》ぐんだ!!
ハッ
ドクン
ハッ
ドクン
きょ… 巨人《きょじん》が…
入《はい》って来《き》たんだろ?
エレン!! ミカサを連《つ》れて逃《に》げなさい!!
!!
早《はや》く!!
…に…
逃《に》げたいよオレも!! 早《はや》く出《で》てくれよ!!
早《はや》く!! 一緒《いっしょ》に逃《に》げよう!!
母《かあ》さんの足《あし》は瓦《が》礫《れき》に潰《つぶ》されて
ここから出《で》られたとしても走《はし》れない… わかるだろ?
オレが担《かつ》いで走《はし》るよ!!
……!!

どうしていつも
母《かあ》さんの言《い》うこと
聞《き》かないの！
最期《さいご》くらい
言《い》うこと
聞《き》いてよ!!
ミカサ!!
ヤダ…
イヤダ…
……!!
!!

二人《ふたり》とも逃《に》げて!!
急《いそ》げミカサ!!
うん…!
………!!
このままじゃ
3人《にん》とも…!!
ギギギ
!!
ザッ
ハンネスさん!!
待《ま》って!! 戦《たたか》ってはダメ!!

……!?
子供《こども》たちを連《つ》れて…
逃《に》げて!!
見《み》くびってもらっちゃ困《こま》るぜ カルラ!!
オレは この巨人《きょじん》をぶっ殺《ころ》して きっちり3人《にん》とも助《たす》ける!
恩人《おんじん》の家族《かぞく》を救《すく》って ようやく恩返《おんがえ》しを――
ハンネスさん!
お願《ねが》い!!
……!!
……

確実《かくじつ》に…
確実《かくじつ》に二人《ふたり》だけは助《たす》ける方《ほう》を取《と》るか…
巨人《きょじん》と戦《たたか》って全員《ぜんいん》助《たす》ける賭《か》けに出《で》るか…
カルラの願《ねが》いに応《こた》えるか…
オレの恩返《おんがえ》しを通《とお》すか…!!
オレは――!!

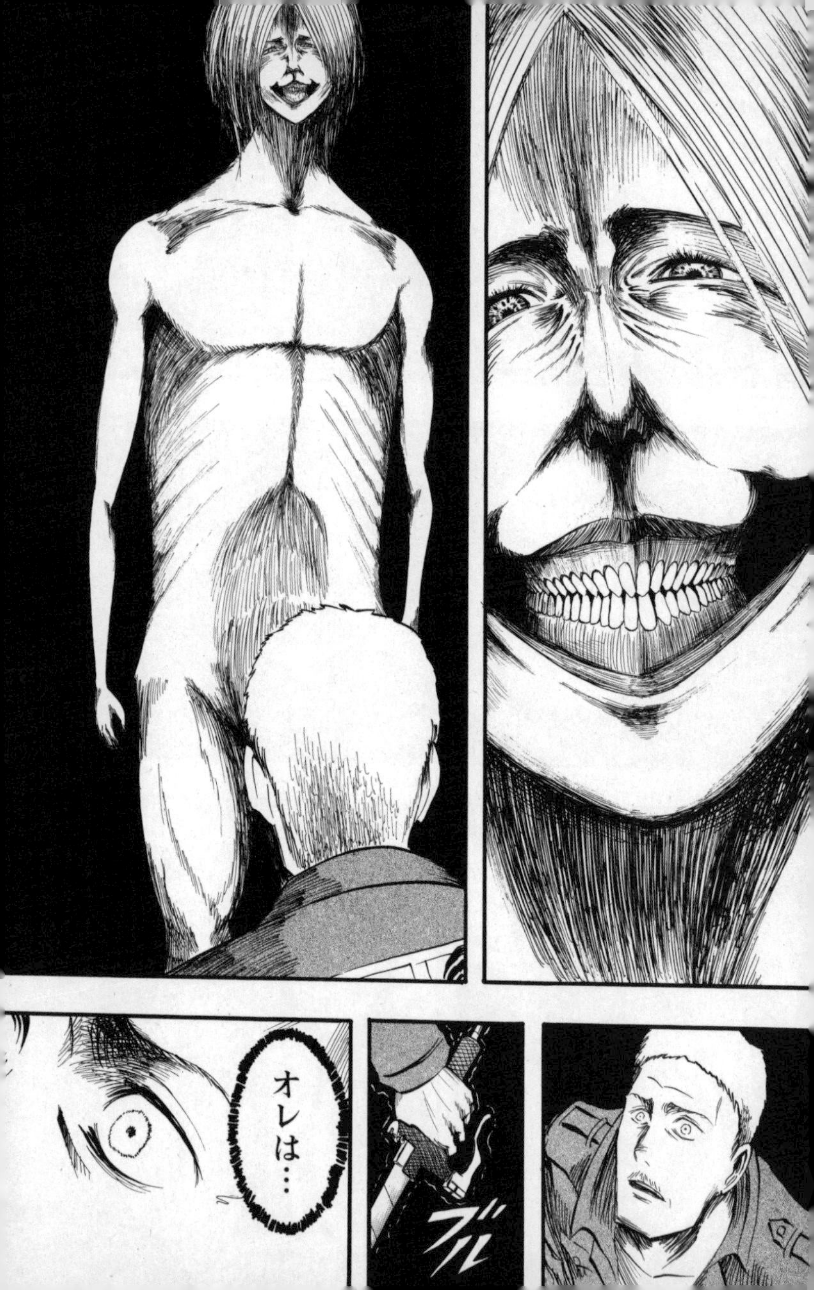
オレは…
ブル

ガッ
!?
ジャ
ミシ
オ…オイ!?
ハンネスさん!?
何《なに》やってんだよ!!
オイ…母《かあ》さんがまだっ
ありがとう…
エレン!!
ミカサ!!
生《い》き延《の》びるのよ…!!
ダッ

…あ……
…い…
行《い》かないで…
やめろぉおおおお

ベキベキ
カパーーァァ
あ……

パキ
パキッ
タッ
タッタッタッタッ

ハアッ
ハアッ
ハアッ
いッ…!?
エレン!?
何《なに》を――
もう少《すこ》しで母《かあ》さんを
助《たす》けられたのに!!
余計《よけい》なこと
すんじゃねぇよ!!
くッ…!!

お前《まえ》の母《かあ》さんを助《たす》けられなかったのは…
……!
お前《まえ》に
力《ちから》がなかったからだ…
オレが…!
巨人《きょじん》に立《た》ち向《む》かわなかったのは…
オレに勇気《ゆうき》がなかったからだ…
……!!

すまない…
……
……うぅ
すまない…
ズキズキ
…あぁ
また これか…

この便《びん》は　もう
満員《まんいん》だ!!
出航《しゅっこう》する!!

これ以上《いじょう》は危険《きけん》だ
閉門《へいもん》しろ!!
何《なに》言《い》ってんだ
まだ中《なか》に大勢《おおぜい》の人《ひと》が
残《のこ》ってるんだぞ!!
この門《もん》が破《やぶ》られたら
街《まち》一つが巨人《きょじん》に
占領《せんりょう》されたどころの
話《はなし》じゃない!!
次《つぎ》の壁《かべ》まで
人類《じんるい》の活動領域《かつどうりょういき》が
後退《こうたい》するんだぞ!?
目《め》の前《まえ》の人間《にんげん》を
見殺《みごろ》しにする理由《りゆう》は
ない!!
閉門《へいもん》しろ!!
急《いそ》げ!!
巨人《きょじん》が門《もん》に
突《つ》っ込《こ》んで
来《く》るぞ!!
阻止《そし》しろ!!
!!
なんだ こいつ!?
武器《ぶき》が効《き》かない―

オオオオオ

扉《とびら》が…!!
ウォール・マリアが……!!
ザザァア
突破《とっぱ》された…!?
おしまいだ…
また…人類《じんるい》は…
巨人《きょじん》に食《く》い尽《つ》くされる……
もう…あの家《いえ》には…

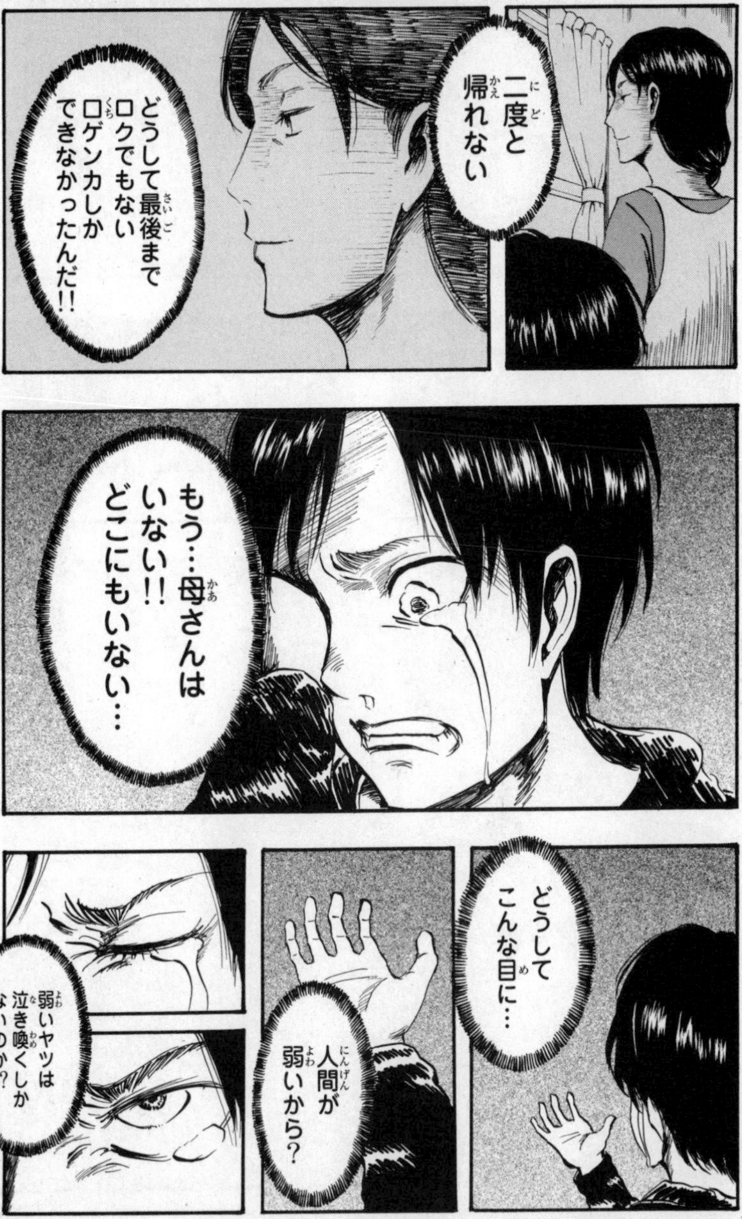
二度《にど》と帰《かえ》れない
どうして最後《さいご》までロクでもない口《くち》ゲンカしかできなかったんだ!!
もう…母《かあ》さんはいない!! どこにもいない…
どうしてこんな目《め》に…
人間《にんげん》が弱《よわ》いから?
弱《よわ》いヤツは泣《な》き喚《わめ》くしかないのか!?

駆逐《くちく》してやる!!
ズズズ…
アーッ
アーッ
ドオオオオオオ
この世《よ》から…

一匹《いっぴき》…
残《のこ》らず!!
850
100年《ねん》の平和《へいわ》の代償《だいしょう》は惨劇《さんげき》によって支払《しはら》われた
当時《とうじ》の危機意識《ききいしき》では突然《とつぜん》の「超大型巨人《ちょうおおがたきょじん》」の出現《しゅつげん》に対応《たいおう》できるはずもなかった…

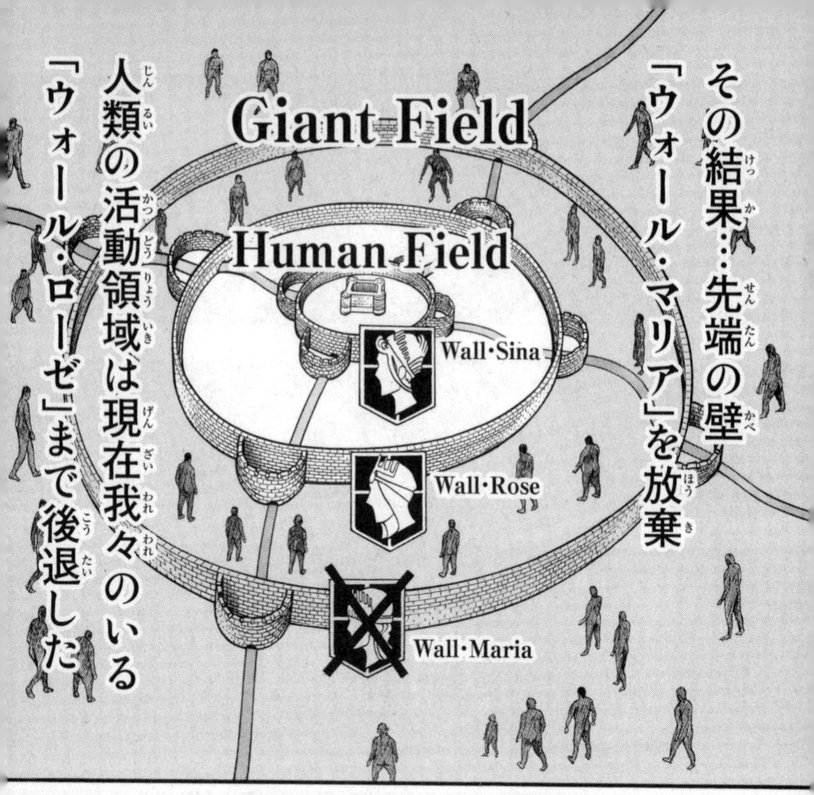
その結果《けっか》…先端《せんたん》の壁《かべ》
「ウォール・マリア」を放棄《ほうき》
Giant Field
Human Field
Wall・Sina
Wall・Rose
Wall・Maria
人類《じんるい》の活動領域《かつどうりょういき》は現在我々《げんざいわれわれ》のいる
「ウォール・ローゼ」まで後退《こうたい》した

今《いま》この瞬間《しゅんかん》にも
あの「超大型巨人《ちょうおおがたきょじん》」が
壁《かべ》を破壊《はかい》しに
来《き》たとしても
不思議《ふしぎ》ではない

その時《とき》こそ諸君《しょくん》らは
その職務《しょくむ》として
「生産者《せいさんしゃ》」に代《か》わり
自《みずか》らの命《いのち》を捧《ささ》げて
巨人《きょじん》という脅威《きょうい》に
立《た》ち向《む》かってゆくのだ!
心臓《しんぞう》を捧《ささ》げよ!!
ハッ!!!
オオオオオオオオオオ
本日《ほんじつ》 諸君《しょくん》らは
「訓練兵《くんれんへい》」を卒業《そつぎょう》
する…
その中《なか》で最《もっと》も
訓練成績《くんれんせいせき》が良《よ》かった
上位《じょうい》10名《めい》を発表《はっぴょう》する
呼《よ》ばれた者《もの》は前《まえ》へ

首席《しゅせき》
ミカサ・アッカーマン
2番《ばん》
ライナー・ブラウン
3番《ばん》
ベルトルト・フーバー
4番《ばん》
アニ・レオンハート
5番《ばん》
エレン・イェーガー

6番《ばん》 ジャン・キルシュタイン
7番《ばん》 マルコ・ボット
8番《ばん》 コニー・スプリンガー
9番《ばん》 サシャ・ブラウス
10番《ばん》 クリスタ・レンズ

以《い》上《じょう》10名《めい》――
やっと ここまで
辿《たど》り着《つ》いた…

今度《こんど》は人類《オレたち》の番《ばん》だ
今度《こんど》は人類《オレたち》が…
巨人《きょじん》を食《く》い尽《つ》くしてやる!!

現在《げんざい》公開《こうかい》可能《かのう》な情報《じょうほう》

1．街《まち》が壁《かべ》から突出《とっしゅつ》している理由《りゆう》

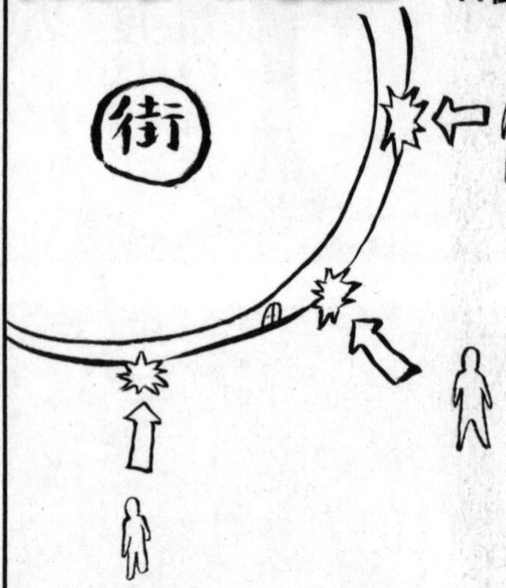

この世界《せかい》において壁《かべ》の建造《けんぞう》は最重要事《さいじゅうようじ》項《こう》である。

左《ひだり》のわかりやすい図《ず》のように、単純《たんじゅん》に壁《かべ》の中《なか》に街《まち》を作《つく》ってしまうと、万《まん》が一《いち》壁《かべ》を巨人《きょじん》に突破《とっぱ》された際《さい》に対応《たいおう》の術《すべ》が無《な》い。つまり広大《こうだい》な範囲《はんい》の、どこを突《とっ》破《ぱ》されるかわからないからである。

当然《とうぜん》、壁《かべ》の全周《ぜんしゅう》をあらかじめ監視《かんし》・警《けい》備《び》するだけの兵力《へいりょく》は、人類《じんるい》には無《な》い。そこで、解決策《かいけつさく》として採用《さいよう》されたのが、下《した》のわかりやすい図《ず》である。

つまり「的《まと》を絞《しぼ》ること」が目的《もくてき》である。この策《さく》により、壁《かべ》を警備《けいび》するコストは抑《おさ》えられ、兵力《へいりょく》も集約《しゅうやく》できる。だが、巨人《きょじん》を集《あつ》める「エサ」となる人間《にんげん》がこの壁《かべ》の中《なか》に入《はい》っていなければ、当然効果《とうぜんこうか》は無《な》い。兵士《へいし》が駐《ちゅう》屯《とん》することによる街への経済効果《けいざいこうか》は約束《やくそく》されるが「経済的利点《けいざいてきりてん》」と「巨人《きょじん》に食《く》われる恐怖《きょうふ》」を天秤《てんびん》にかけ、この街《まち》に住《す》もうと思《おも》う者《もの》は決《けっ》して多《おお》くないだろう。

そこで王政府《おうせいふ》は、この先端《せんたん》の町《まち》に住《す》む者《もの》を「最《もっと》も勇敢《ゆうかん》な戦士《せんし》」として祭《まつ》り上《あ》げ、大衆《たいしゅう》を扇動《せんどう》した。

人類《じんるい》の領域《りょういき》と壁外《へきがい》の巨人《きょじん》の領域《りょういき》を結《むす》ぶ扉《とびら》は強度《きょうど》が劣《おと》るため、保守派《ほしゅは》により埋《う》められる計画《けいかく》があった。しかし「壁外《へきがい》への扉《とびら》を放《ほう》棄《き》することは人類《じんるい》の復権《ふっけん》への意志《いし》を放棄《ほうき》することである」と主張《しゅちょう》する革新派《かくしんは》によって計画《けいかく》が阻《はば》まれてきた経緯《けいい》がある。

この壁《かべ》の建造時期《けんぞうじき》や建造方法《けんぞうほうほう》は、物語《ものがたり》が進《すす》むにつれて明《あき》らかになるだろう。

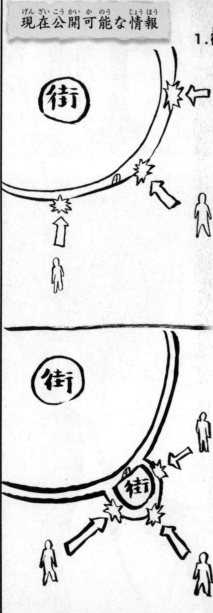

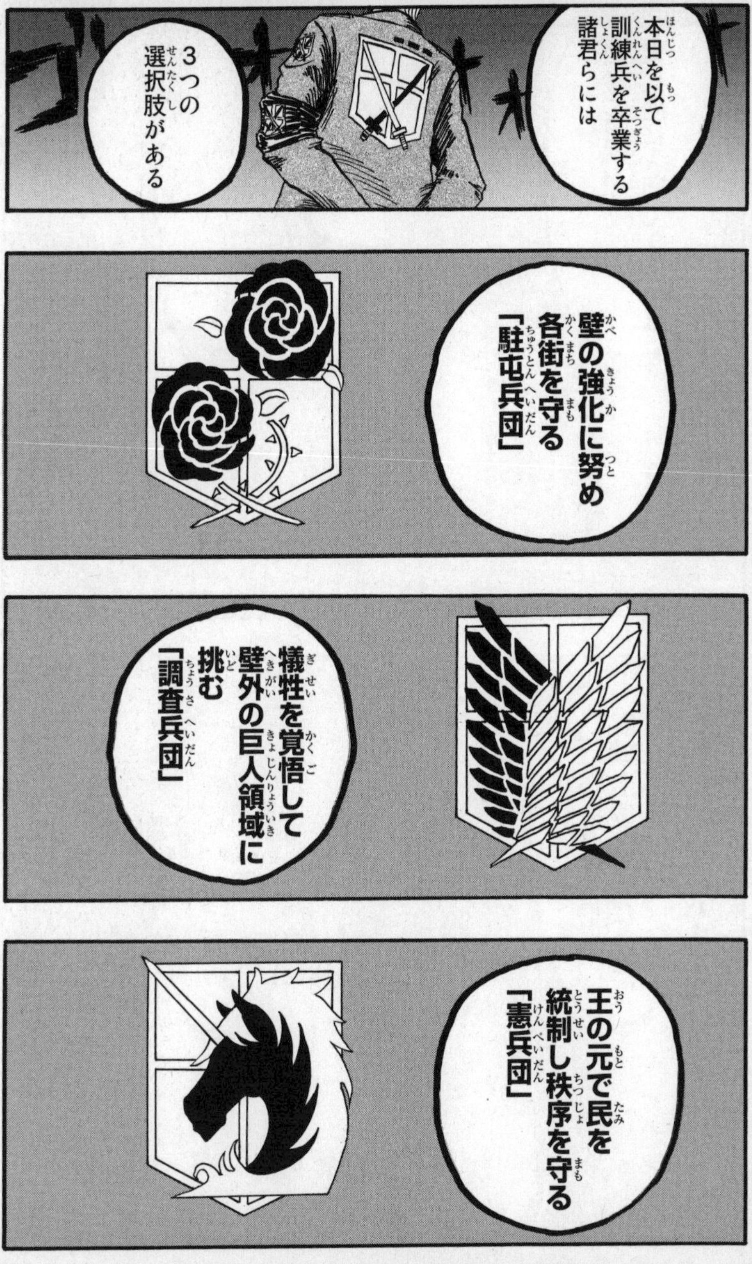
本日《ほんじつ》を以《もっ》て訓練兵《くんれんへい》を卒業《そつぎょう》する諸君《しょくん》らには
3つの選択肢《せんたくし》がある
壁《かべ》の強化《きょうか》に努《つと》め各街《かくまち》を守《まも》る「駐屯兵団《ちゅうとんへいだん》」
犠牲《ぎせい》を覚悟《かくご》して壁外《へきがい》の巨人領域《きょじんりょういき》に挑《いど》む「調査兵団《ちょうさへいだん》」
王《おう》の元《もと》で民《たみ》を統制《とうせい》し秩序《ちつじょ》を守《まも》る「憲兵団《けんぺいだん》」

無論《むろん》 新兵《しんぺい》から
憲兵団《けんぺいだん》に入団《にゅうだん》できるのは

成績上位《せいせきじょうい》10名《めい》だけだ

第《だい》3話《わ》 解散式《かいさんしき》の夜《よる》

いーよな　お前《まえ》らは10番以内《ばんいない》に入《はい》れてよ！
どーせ憲兵団《けんぺいだん》に入《はい》るんだろ？
ハァ？
当《あ》たり前《まえ》だろ　何《なん》のために10番内《ばんない》を目指《めざ》したと思《おも》ってんだ
ギッ
オレも憲兵団《けんぺいだん》にするよ
王《おう》の近《ちか》くで仕事《しごと》ができるなんて…光栄《こうえい》だ!!

まだ お利口《りこう》さんを
やってんのか マルコ…
ガッ
ぶッ!!
言えよ本音《ほんね》を
内地《ないち》に
行《い》けるからだろ?
やっと このクソ
息苦《いきぐる》しい最前線《さいぜんせん》の街《まち》から
脱出《だっしゅつ》できるからだ!!
内地《ないち》での安全《あんぜん》で快適《かいてき》な
暮《く》らしがオレ達《たち》を
待《ま》ってっからだろうが!!
ザワッ
なっ……
お前《まえ》……
は…恥《はじ》を知《し》れよ
少《すく》なくとも
オレは――
あ〜すまん
オレが悪《わる》かった
お前《まえ》は
優等生《ゆうとうせい》だったな
しかし
お前《まえ》らなら
どうする?

ガタッ
オレ達《たち》が内地《ないち》に住《す》める機会《きかい》なんてそうそうないぜ!?
それでも「人類《じんるい》の砦《とりで》」とかいう美名《びめい》のためにここに残《のこ》るのか?
………
………
そりゃあ…
好《す》きでこんな端《はし》っこに生《う》まれたわけじゃないし…
巨人《きょじん》の足音《あしおと》に怯《おび》えなくて済《す》むんなら…
だよなぁ…
ギッ
みんな内地《ないち》に行《い》きたいよな…
で…お前《まえ》らは
僕《ぼく》は憲兵団《けんぺいだん》を志願《しがん》するよ
私《わたし》も…だけど
あんたと一緒《いっしょ》だとは思《おも》われたくないわ

ハハハッ!!
ガタッ
なぁ…
内地《ないち》が快適《かいてき》とか言《い》ったな…
……
この街《まち》も5年前《ねんまえ》まで内地《ないち》だったんだぞ
ジャン…内地《ないち》に行《い》かなくても
お前《まえ》の脳内《のうない》は〝快適《かいてき》〟だと思《おも》うぞ?
ブフーッ
うあぁぁぁ
す…すまん!
うあぁ…
エレン
やめなさい
………

オレが頭《あたま》のめでたいヤツだと
ゴトッ
そう言《い》いたいのかエレン?
……
それは違《ちが》うな…オレは誰《だれ》よりも
現実《げんじつ》を見《み》てる
4年前《ねんまえ》――巨人《きょじん》に奪《うば》われた領土《りょうど》を奪還《だっかん》すべく…人類《じんるい》の人口《じんこう》の2割《わり》を投入《とうにゅう》して
総攻撃《そうこうげき》を仕掛《しか》けた…
そして その殆《ほとん》どがそっくりそのまま巨人《きょじん》の胃袋《いぶくろ》に直行《ちょっこう》した
あと何割《なんわり》か足《た》せば領土《りょうど》は奪還《だっかん》できたのか?

巨人《きょじん》を1体倒《たいたお》すまでに平均《へいきん》で30人《にん》は死《し》んだ
しかし この地上《ちじょう》を支配《しはい》する巨人《きょじん》の数《かず》は人類《じんるい》の30分《ぶん》の1では済《す》まないぞ
もう十分《じゅうぶん》わかった
人類《じんるい》は…
巨《きょ》人《じん》に勝《か》てない…
はぁ…
見《み》ろ…お前《まえ》のせいでお通夜《つや》になっちまった
それで？

はぁ? 話《はなし》聞《き》いてたか?
「勝てないと思うから諦《あきら》める」ってとこまで聞《き》いた
…
なぁ… 諦《あきら》めて良《い》いことあるのか?
あえて希望《きぼう》を捨《す》ててまで現実逃避《げんじつとうひ》する方《ほう》が良《い》いのか?
……
そもそも
巨人《きょじん》に物量戦《ぶつりょうせん》を挑《いど》んで負《ま》けるのは当《あ》たり前《まえ》だ
4年前《ねんまえ》の敗因《はいいん》の1つは巨人《きょじん》に対《たい》しての無知《むち》だ…
負《ま》けはしたが得《え》た情報《じょうほう》は確実《かくじつ》に次《つぎ》の希望《きぼう》に繋《つな》がる

お前《まえ》は戦術《せんじゅつ》の発達《はったつ》を放棄《ほうき》してまで大人《おとな》しく巨人《きょじん》の飯《メシ》になりたいのか？……冗談《じょうだん》だろ？
オレは…
オレには夢《ゆめ》がある…
巨人《きょじん》を駆逐《くちく》して この狭《せま》い壁内《へきない》の世界《せかい》を出《で》たら…外《そと》の世界《せかい》を
探検《たんけん》するんだ

はッ！
何言《なにい》ってんだお前《まえ》!? めでたい頭《あたま》してんのは お前《まえ》の方《ほう》じゃねぇか！
…なんだと!!
見《み》ろよ！ 誰《だれ》もお前《まえ》に賛成《さんせい》なんかしねぇよ！
……
あぁ…そうだな…
わかったから…
さっさと行《い》けよ内地《ないち》に… お前《まえ》みてぇな敗北主義者《はいぼくしゅぎしゃ》が 最前線《ココ》にいちゃぁ 士気《しき》に関《かか》わんだよ
勿論《もちろん》そのつもりだが お前《まえ》こそ壁《かべ》の外《そと》に 行《い》きてぇんだろ？ さっさと行《い》けよ 大好《だいす》きな 巨人《きょじん》がお前《まえ》を待《ま》ってるぜ？
…めんどくせぇ
へっ……

うおおおお！
わあああ
また始《はじ》まったぜ!!
オラ！エレン！どうした!!
人間《オレ》に手間《てま》取《ど》ってるようじゃ…
!?
巨人《やつら》の相手《あいて》なんか務《つと》まんねぇぞ!!
!!
あたりめーだッ!!

ぐ…っ!!
フッ!!
グッ……!!
……!!
オエッ……
オーイ!
その辺《へん》にしとけ!
忘《わす》れたのか
ジャン!?
エレンの
対人《たいじん》格《かく》闘《とう》成績《せいせき》は
今期《こんき》のトップだぞ!

!!?
……!?
ミカサ!!
いや…ミカサに次《つ》いでだったっけ?
だはははははは
お…降《お》ろせよ!!
ジャン これ以上《いじょう》騒《さわ》いだら教官《きょうかん》が来《き》ちゃうよ!
オイ…フランツ…!!
これは送別会《そうべつかい》の出《だ》し物《もの》だろ? 止《と》めんなよ!!
イ…イヤぁ…もう十分《じゅうぶん》堪能《たんのう》したよ
やめてよ! 人同士《ひとどうし》で争《あらそ》うのは…
だははは
オイ!
降《お》ろせよミカサ…!
チッ
よかったなエレン!
またそうやってミカサにおんぶに抱《だ》っこだ!

そのまま調査兵団《ちょうさへいだん》にもミカサを巻《ま》き込《こ》むつもりだろ!
うおっ!!
…いってーな!!
熱《あつ》くなるとすぐ衝動的《しょうどうてき》に行動《こうどう》する…
さっきあいつが何《なに》か言《い》ってたが……
お前《まえ》…配属兵科《はいぞくへいか》の希望《きぼう》は?

私《わたし》は調査兵団《ちょうさへいだん》にする
ス
……
お前《まえ》は首席《しゅせき》だろうが…… 憲兵団《けんぺいだん》に行《い》けよ
それも歴代《れきだい》の中《なか》でも逸材《いつざい》だとよ… きっと破格《はかく》の待遇《たいぐう》を受《う》けられるぞ
あなたが憲兵団《けんぺいだん》に行《い》くのなら私《わたし》も憲兵団《けんぺいだん》に行《い》こう
あなたが駐屯兵団《ちゅうとんへいだん》に行《い》くのなら
私《わたし》もそうしよう
エレンは私《わたし》と一緒《いっしょ》にいないと早死《はやじ》にする
頼《たの》んでねぇだろそんなことは!
いつまでこんなこと続《つづ》けるつもりだ!?
人生《じんせい》が続《つづ》く限《かぎ》り…
一度《いちど》死《し》んだ私《わたし》を再《ふたた》び生《い》き返《かえ》らせた恩《おん》は忘《わす》れない

なにより…
もうこれ以上《いじょう》家族《かぞく》を失《うしな》いたくない…
…………
二人《ふたり》とも今日《きょう》は もうお開《ひら》きだって…
寮《りょう》に戻《もど》るよ
あぁ…なぁアルミン
お前《まえ》…兵団《へいだん》の希望《きぼう》は どうするんだ?
……
僕《ぼく》は調査兵団《ちょうさへいだん》に入《はい》る!
!!
本気《ほんき》で言《い》ってんのか?
お前《まえ》は——

あぁ わかってるよ…
僕《ぼく》は人《ひと》より 体力《たいりょく》が無《な》い
卒業《そつぎょう》模擬《もぎ》戦闘《せんとう》試験《しけん》を 合格《ごうかく》できたのも 奇跡《きせき》だ…
お前《まえ》は座学《ざがく》はトップ なんだから技巧《ぎこう》に進《すす》めって 教官《きょうかん》も言《い》ってたじゃ ねぇか!
……
長所《ちょうしょ》を捨《す》ててまで 非効率《ひこうりつ》な選択《せんたく》をするのは 勇敢《ゆうかん》って言《い》わねぇぞ
……
死《し》んでも 足手《あしで》まといには ならないよ!
……

ザッ
ザッ
!
ザッ
!
ザザッ
では今日《きょう》はここで解散《かいさん》
ハッ

あー……直《なお》っていいぞ
規律《きりつ》は大事《だいじ》だがお前《まえ》らが相手《あいて》だとどうも慣《な》れねぇ…
久《ひさ》し振《ぶ》りだな…!
本当《ほんとう》に慣《な》れないよ…
飲《の》んだくれでも今《いま》や駐屯《ちゅうとん》部《ぶ》隊長《たいちょう》だからね
あぁ…また大《おお》きくなったなお前《まえ》ら
そうか…もうこの街《まち》に来《き》て5年《ねん》も経《た》つのか…
………
すまねぇな…
お前《まえ》らの親《おや》救《すく》えなくて……
その話《はなし》はもういいよ
仕方《しかた》なかったんだから
………
まだお前《まえ》らが生《う》まれてくる前《まえ》——

オレの家内《かない》が流行《はやり》の病気《びょうき》に罹《かか》った…同《おな》じ病気《びょうき》で多《おお》くの人《ひと》が死《し》んでいった…
ところがある日《ひ》イェーガー先生《せんせい》がその抗体《こうたい》を持《も》って現《あらわ》れて…
みんな助《たす》かったんだ
オレはその恩返《おんがえ》しがしたかったんだがついぞ叶《かな》わねぇまま…
もう何回《なんかい》も聞《き》いたよ…
そのお前の父さん《イェーガー先生》の行方《ゆくえ》だが…こっちは何《なに》もわからないままだ
頼《たよ》りは最後《さいご》に会《あ》ったお前《まえ》の記憶《きおく》なんだが…
何《なに》か思《おも》い出《だ》したか？
！
！
エレン!?

ハンネスさん！
そ…そうか
すまねぇ…
すっかり忘《わす》れてた…
大丈夫《だいじょうぶ》かエレン!?
だ…大丈夫《だいじょうぶ》だけど…
ズキ
なぜかこうなっちまう…
頭《あたま》が…破裂《はれつ》しそうだ
ズキ
何《なに》も…思《おも》い出《だ》せねぇのに…
ズキ ズキ
父《とう》さん
やめてよ！父《とう》さん！
何《なに》をしようとしているの！
父《とう》さんは母《かあ》さんが死《し》んでおかしくなったんだ!!
エレン!!

腕《うで》を出《だ》しなさい!
ガバッ
エレン……!!
!?
…大丈夫《だいじょうぶ》なの? あの後《あと》 急《きゅう》に倒《たお》れて 寮《ここ》まで運《はこ》んだんだ
すごく うなされてたけど どんな夢《ゆめ》を?
なんだったっけ …アレ……? 忘《わす》れた

しっかし
最前線《さいぜんせん》の街《まち》だっていうのに
人《ひと》が増《ふ》えたよな…
もう5年《ねん》も何《なに》も無《な》いんだもん
数年前《すうねんまえ》の雰囲気《ふんいき》のままとはいかないでしょ
この5年間《ねんかん》で壁《かべ》もずいぶん強固《きょうこ》になったしね！
もう大型巨人《おおがたきょじん》なんて来《こ》ないんじゃないかな
何《なに》腑抜《ふぬ》けたこと言《い》ってんだ!!
バカ夫婦《ふうふ》!! そんなことじゃ―
そ そんな…夫婦《ふうふ》だなんて…
お似合《にあ》い夫婦《ふうふ》だなんて…
気《き》が早《はや》いよエレン！
……

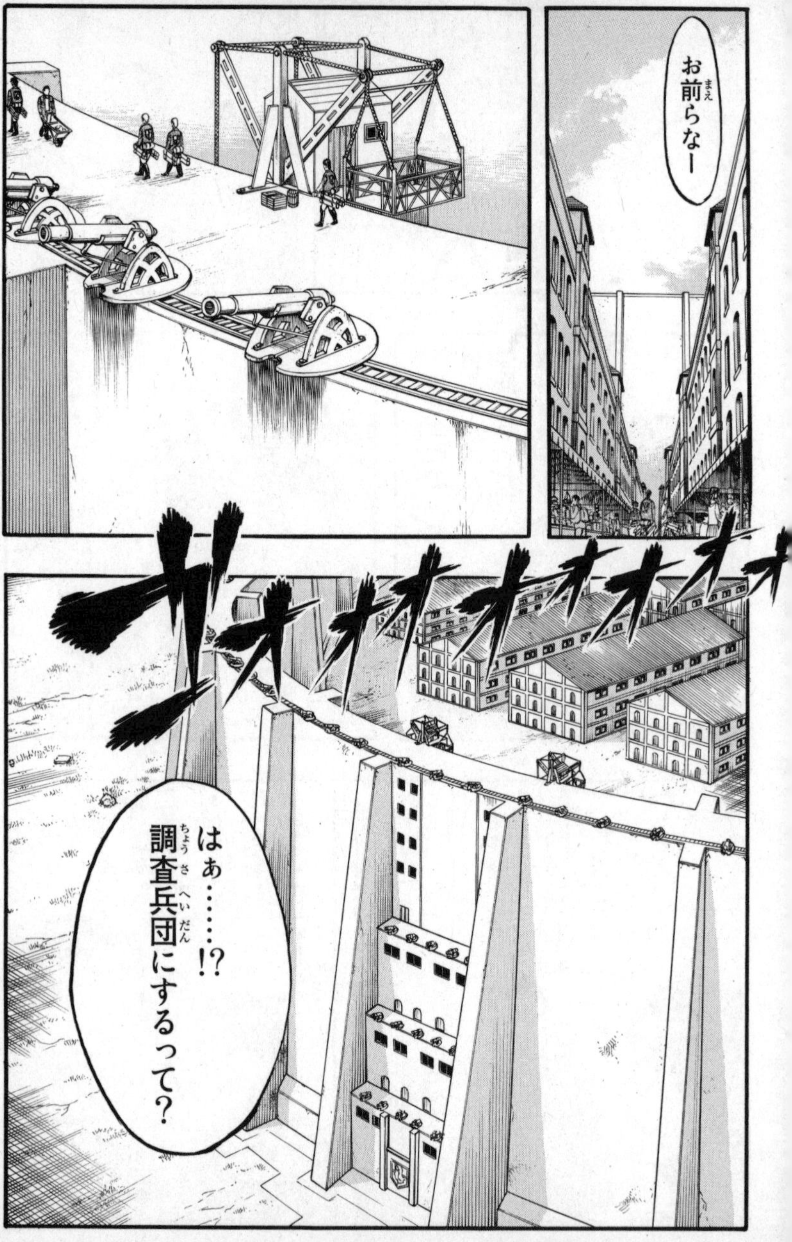
お前《まえ》らなー
ゴオオオオオオオ
はぁ……!?
調査兵団《ちょうさへいだん》にするって?

コニー…お前《まえ》8番《ばん》だろ!? 前《まえ》は憲兵団《けんぺいだん》に入《はい》るって…
憲兵団《けんぺいだん》がいいに決《き》まってるだろ…けどよ…
お前《まえ》の昨日《きのう》の演説《えんぜつ》が効《き》いたんだよ
は!?
イ…イヤ!! オレは…アレだ… そう! ジャンだ
オレはアイツと同《おな》じ兵団《へいだん》に入《はい》りたくねぇだけだ!
調査兵団《ちょうさへいだん》に入《はい》る説明《せつめい》になってないぞ…
うっ…うるせぇ!! 自分《じぶん》で決《き》めてたんだよ!
そう照《て》れるなよ やるべきことはわかっていても踏《ふ》ん切りがつかないこともあるさ
それにお前《まえ》だけじゃ…
あのぅ みなさん…

上官《じょうかん》の食糧庫《しょくりょうこ》から
お肉《にく》盗《と》ってきました
……!!
サシャ…お前《まえ》
独房《どくぼう》にぶち込《こ》まれたいのか…?
ザワザワ
お前《まえ》…本当《ほんとう》にバカなんだな
バカって怖《こ》えぇ…
後《あと》で…みなさんで分《わ》けましょう
スライスしてパンに挟《はさ》んで…むふふ…
戻《もど》してこい
そーだよ
土地《とち》が減《へ》ってから肉《にく》なんてすごく貴重《きちょう》になったんだから
……
ガコ
大丈夫《だいじょうぶ》ですよ

土地《とち》を奪還《だっかん》すれば また…
牛《うし》も羊《ひつじ》も増《ふ》えますから
え？
なるほどな
ウォール・マリアを奪還《だっかん》する前祝《まえいわ》いに頂《いただ》こうってわけか
食《く》ったからには腹括《はらくく》るしか無《な》いもんな!!
？
……
トーマス…
………
……
オレも その肉《にく》 食《く》う!!

わ…私《わたし》も食《た》べるから！
取《と》っといてよ…!!
何《なに》つっ立《た》ってんだエレン
作業《さぎょう》に戻《もど》んねぇと
バレちまうぞ！
ポン
お昼《ひる》は
まだ先《さき》だよ
ブルブル
ギュ
ウウウウウウウウウウ
くっそー
外《そと》に出《で》たいって
だけで何《なん》で
白《しろ》い目《め》で
見《み》られるんだ
あれから──
5年《ねん》経《た》った──

ヒューウウ
3分《ぶん》の1の領土《りょうど》と
2割《わり》の人口《じんこう》を
失《うしな》ってようやく
人類《じんるい》は尊厳《そんげん》を
取《と》り戻《もど》しつつある
ビュウゥゥウウッ
勝《か》てる——
人類《じんるい》の反撃《はんげき》は
これからだ——

熱《あつ》ッ……!?
な!!?
何《なに》が―――!!?
うわああああああ
!?
みんな!!
クッ……!!

立体機動《りったいきどう》に移《うつ》れッ！
ハッ!!

ガッ
!?
オイ!!
サムエル!!
クッ!!
サシャ!?

……!!
う…
うっ…
サムエル！
動《うご》いちゃダメですよ！

危《あぶ》なかった…
!?
!!?

駆逐《くちく》してやる!!
この世《よ》から…
一匹《ぴき》…残《のこ》らず!!

一匹《いっぴき》…
残《のこ》らず!!
壁《かべ》が壊《こわ》された…
またた…また…巨人《きょじん》が入《はい》ってくる…
ちくしょう…やっぱり人類《じんるい》は巨人《きょじん》に……
サシャ!!
サムエルを任《まか》せた!!
固《こ》定《てい》砲《ほう》整《せい》備《び》4班《はん》!
!?
戦《せん》闘《とう》用《よう》意《い》!!

目標《もくひょう》 目《め》の前《まえ》!!
超大型巨人《ちょうおおがたきょじん》!!
……!!
これは好機《チャンス》だ
絶対《ぜったい》逃《に》がすな!!
壁《かべ》を壊《こわ》せるのは
超大型《こいつ》だけだ!!
こいつさえ
仕留《しと》めれば……!!
……!!
……よう

5年《ねん》振《ぶ》りだな…

現在《げんざい》公開《こうかい》可能《かのう》な情報《じょうほう》

2.立体機動時《りったいきどうじ》の体重移動装備《たいじゅういどうそうび》

立体機動《りったいきどう》を可能《かのう》にする為《ため》には、全身《ぜんしん》に張《は》り巡《めぐ》らされた、固定《こてい》ベルトを利用《りよう》した細《こま》かい体重移動《たいじゅういどう》の技術《ぎじゅつ》が必要《ひつよう》になる。

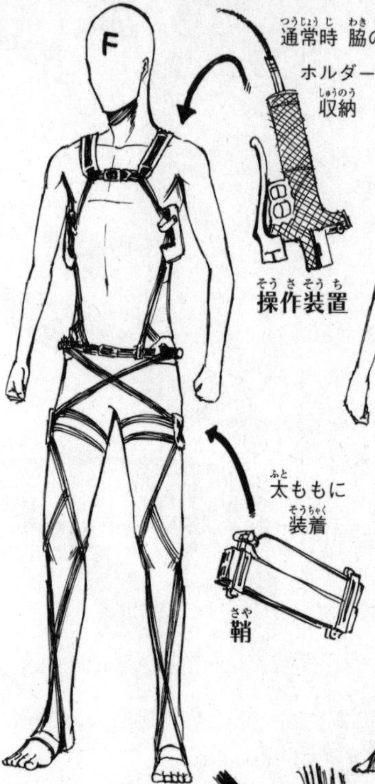

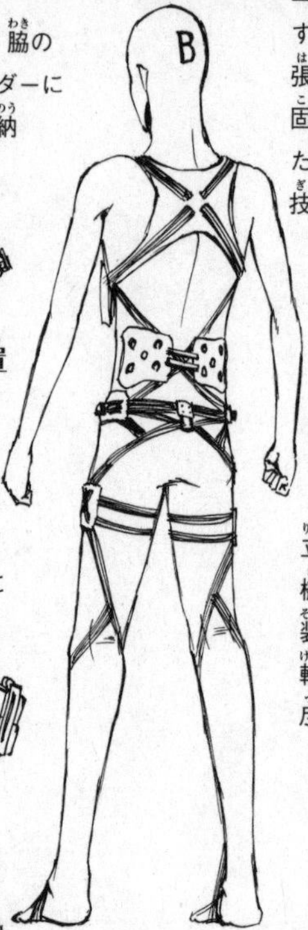

立体的《りったいてき》で高速《こうそく》な機動《きどう》が目的《もくてき》である装備《そうび》は、徹底《てってい》して軽量化《けいりょうか》の限《かぎ》りを尽《つ》くされている。

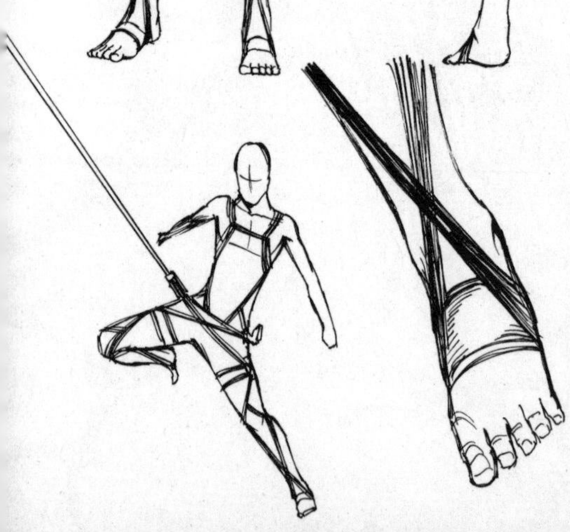

両側《りょうがわ》の腰《こし》のどちらか一方《いっぽう》に全体重《ぜんたいじゅう》をかけることになる。その体重《たいじゅう》のほとんどは、反対側《はんたいがわ》の足《あし》の裏《うら》に掛《か》けられる。宙《ちゅう》を舞《ま》うような機動《きどう》であっても、全身《ぜんしん》の筋肉《きんにく》を酷使《こくし》することによって成《な》り立《た》っている。

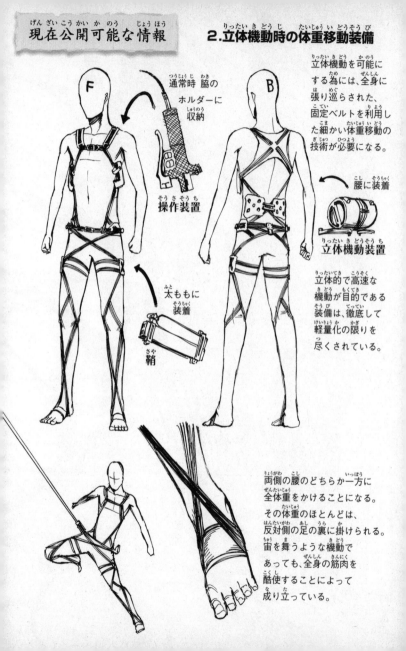

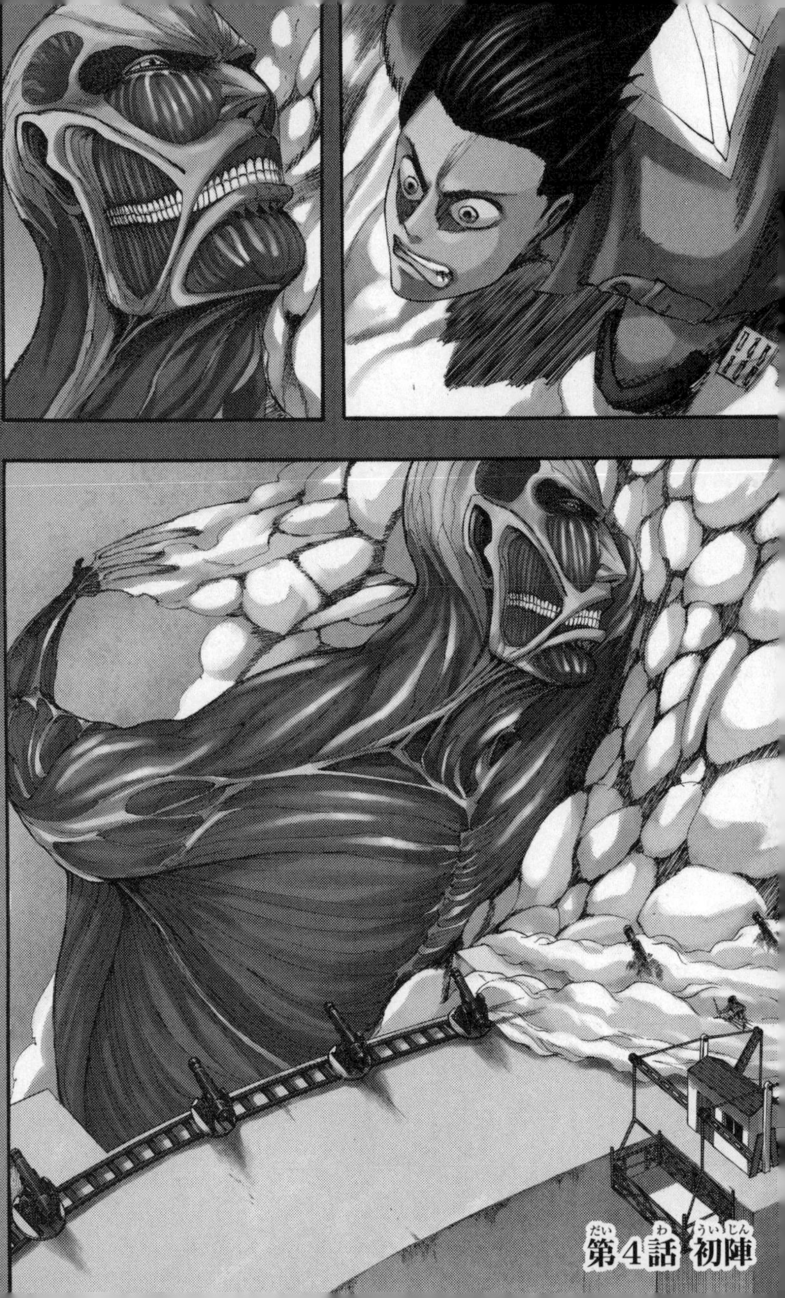

第《だい》4話《わ》 初陣《ういじん》

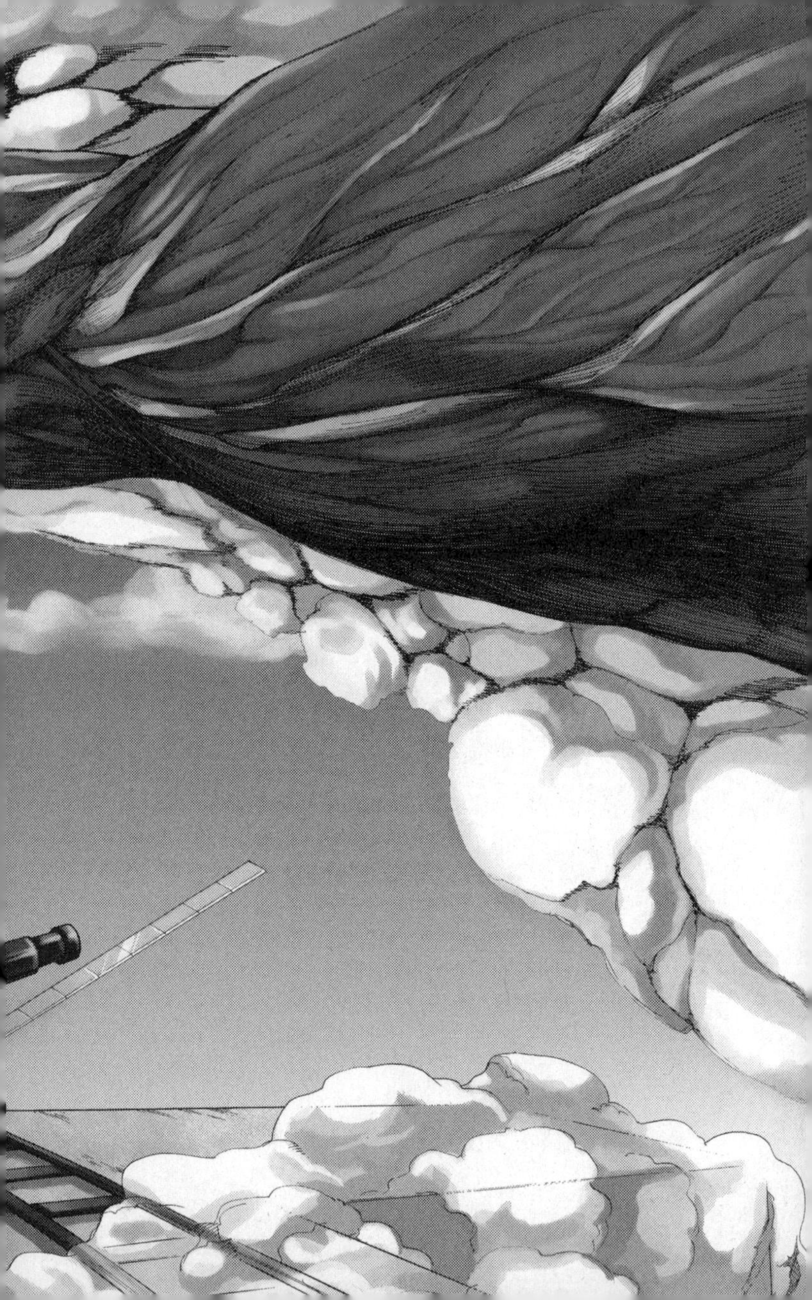

現在公開可能《げんざいこうかいかのう》な情報《じょうほう》

3.立体機動装置《りったいきどうそうち》の大《おお》まかな機構《きこう》

〈立体機動装置本体《りったいきどうそうちほんたい》〉
・本体部分《ほんたいぶぶん》に鉄線《てっせん》を収納《しゅうのう》
・軸《じく》が二《ふた》つあり、独立《どくりつ》して回転《かいてん》

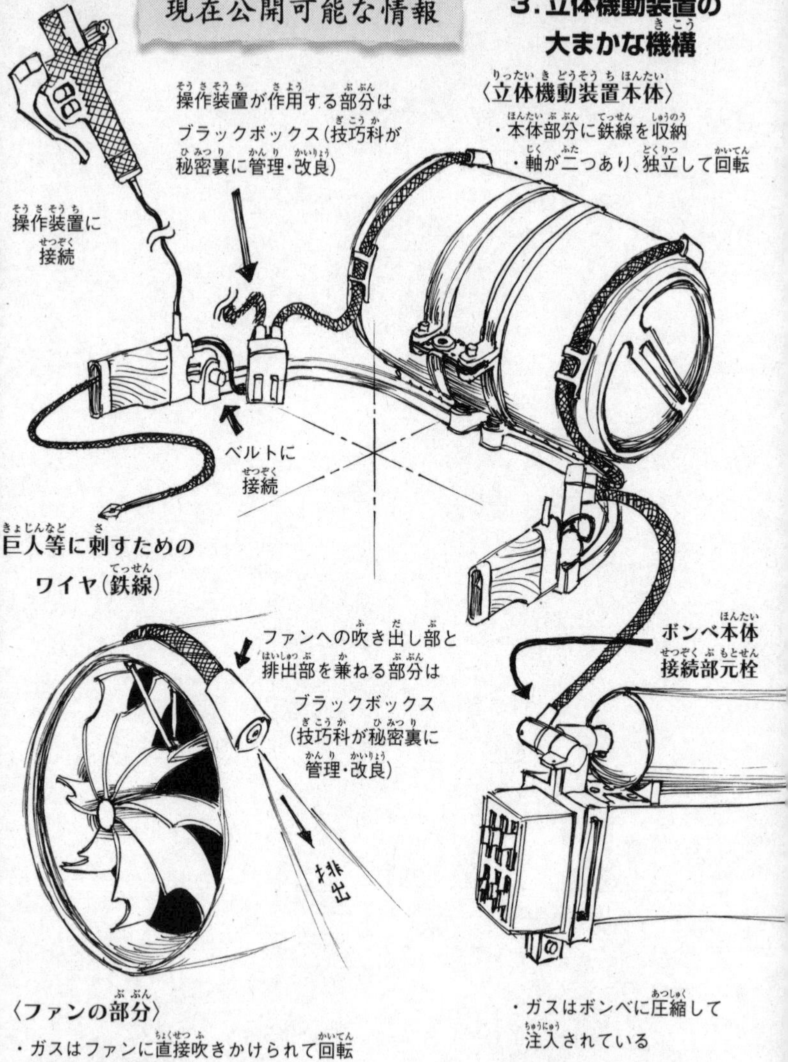

〈ファンの部分《ぶぶん》〉
・ガスはファンに直接吹《ちょくせつふ》きかけられて回転《かいてん》
・排出部《はいしゅつぶ》は吸入口《きゅうにゅうこう》から入《はい》るガスに干渉《かんしょう》しないように羽根《はね》の形《かたち》が工夫《くふう》されている
・ガスの圧力《あつりょく》を調整《ちょうせい》して出力《しゅつりょく》を操作《そうさ》

・ガスはボンベに圧縮《あっしゅく》して注入《ちゅうにゅう》されている

設定《せってい》に協力《きょうりょく》してくれた理系《りけい》の友人《ゆうじん》に感謝《かんしゃ》!

ザク
ダッ
オオオオオ

こいつ……
固定砲《こていほう》を狙《ねら》いやがった…!!
それだけじゃない!
開閉扉《かいへいとびら》を狙《ねら》ったのも
偶然《ぐうぜん》じゃなかった!!
やはりこいつには
知性《ちせい》が――
くッ!!

しかし
チャンスだ!!
壁《かべ》を破《は》壊《かい》
できるのは
こいつだけ!
こいつさえ
仕《し》留《と》めれば……!!

鈍《のろ》い!!
いける!!
殺《と》った!!

ビビッ
なっ…!?
熱《あつ》っ!?
行《い》けええええ

……!?
手《て》応《ごた》えは無《な》い…!!
外《はず》した…!?
イヤ…
違《ちが》う
消《き》えた……

超大型巨人《ちょうおおがたきょじん》が消《き》えた!!
!
エレン!
お前《まえ》が倒《たお》しちまったのか!?
……
違《ちが》う…5年前《ねんまえ》と同《おな》じだ…
こいつは突然現《とつぜんあらわ》れて突然消《とつぜんき》えた…!!
…すまん逃《に》がした…
何謝《なにあやま》ってんだ俺達《おれたち》なんて まったく動《うご》けなかった…
オイ…そんな話《はなし》してる場合《ばあい》か!!
もう壁《かべ》は壊《こわ》されちまったんだ!
早《はや》く塞《ふさ》がないと また巨人達《きょじんたち》が入《はい》ってくるぞ!!
何《なに》をしているんだ訓練兵《くんれんへい》!!
!!

超《ちょう》大型《おおがた》巨人《きょじん》出現《しゅつげん》時《じ》の作戦《さくせん》は既《すで》に開始《かいし》している！
ただちに お前《まえ》らの持《も》ち場《ば》に就《つ》け！
そして〝ヤツ〟と接触《せっしょく》した者《もの》がいれば本部《ほんぶ》に報告《ほうこく》しろ！
ハッ
先遣班《せんけんはん》の健闘《けんとう》を祈《いの》ります！
！

所持《しょじ》する財産《ざいさん》は最小限《さいしょうげん》に!
落《お》ち着《つ》いて避難《ひなん》して下《くだ》さい!
悔《く》やまれることに最《もっと》も実戦経験《じっせんけいけん》の豊富《ほうふ》な調査兵団《ちょうさへいだん》は壁外調査《へきがいちょうさ》のため出払《ではら》っている
現在《げんざい》我々《われわれ》「駐屯兵団《ちゅうとんへいだん》」のみによって…壁《かべ》の修復《しゅうふく》と迎撃《げいげき》の準備《じゅんび》が進行《しんこう》している

お前《まえ》達《たち》訓練《くんれん》兵《へい》も卒業《そつぎょう》演習《えんしゅう》を合格《ごうかく》した立派《りっぱ》な兵士《へいし》だ！
バタ バタ
今回《こんかい》の作戦《さくせん》でも活躍《かつやく》を期待《きたい》する！
大丈夫《だいじょうぶ》だよ ハンナ…僕《ぼく》が必《かなら》ず君《きみ》を守《まも》るから
フランツ……
…
………
！
エレン！
大丈夫《だいじょうぶ》か アルミン！
カチャカチャ
……
だっ大丈夫《だいじょうぶ》だ こんなの すぐ治《おさ》まる！
カチャカチャ

しかし…まずいぞ
現状《げんじょう》では まだ縦《たて》8mもの
穴《あな》をすぐに塞《ふさ》ぐ技術《ぎじゅつ》は無《な》い！
塞《ふさ》いで栓《せん》をするって
言《い》ってたあの岩《いわ》だって…
結局《けっきょく》掘《ほ》り返《かえ》すことさえ
できなかった！
穴《あな》を塞《ふさ》げない時点《じてん》で
この街《まち》は放棄《ほうき》される…
ウォール・ローゼが突破《とっぱ》されるのも
時間《じかん》の問題《もんだい》……そもそも
カチャ
カチャ
カチャ
巨人《ヤツら》は
その気《き》に
なれば
カチャ
カチャ
人類《じんるい》なんかいつでも
滅《ほろ》ぼすことが
できるんだ!!
アルミン！
ッ!!
落《お》ち着《つ》け!!
……!!
ご ごめん
大丈夫《だいじょうぶ》…

それでは訓練通《くんれんどお》りに各班《かくはん》ごと通路《つうろ》に分《わ》かれ駐屯兵団《ちゅうとんへいだん》の指揮《しき》の下《もと》
補給支援《ほきゅうしえん》・情報伝達《じょうほうでんたつ》・巨人《きょじん》の掃討等《そうとうなど》を行《おこな》ってもらう
前衛部《ぜんえいぶ》を駐屯兵団《ちゅうとんへいだん》が
前衛部《ぜんえいぶ》
中衛部《ちゅうえいぶ》を我々《われわれ》率《ひき》いる訓練兵団《くんれんへいだん》が
中衛部《ちゅうえいぶ》
後衛部《こうえいぶ》を駐屯兵団《ちゅうとんへいだん》の精鋭部隊《せいえいぶたい》が…
後衛部《こうえいぶ》
我々《われわれ》はタダメシのツケを払《はら》うべく住民《じゅうみん》の避難《ひなん》が完全《かんぜん》に完了《かんりょう》するまで
このウォール・ローゼを死守《ししゅ》せねばならない

なお…承知《しょうち》しているであろうが敵前逃亡《てきぜんとうぼう》は死罪《しざい》に値《あたい》する
みな 心《こころ》して命《いのち》を捧《ささ》げよ
解散《かいさん》!!
ハッ!!
うおぉぉぉ!!
なんで今日《きょう》なんだ……!?
明日《あした》から内地《ないち》に行《い》けたっつーのに!!
!?
う…
うぅ
ビチャ
……
大丈夫《だいじょうぶ》!?

戦闘《せんとう》が混乱《こんらん》してきたら私《わたし》のところに来《き》て
ボソッ
は!?
…何《なに》言《い》ってんだ!?オレとお前《まえ》は別々《べつべつ》の班《はん》だろ!?
混乱《こんらん》した状況下《じょうきょうか》では筋書《すじが》き通《どお》りにはいかない
私《わたし》はあなたを守《まも》る!
…………
お前《まえ》…さっきから何《なに》を…
ミカサ訓練兵《くんれんへい》!!
お前《まえ》は特別《とくべつ》に後衛部隊《こうえいぶたい》だ
ザザッ
付《つ》いてこい!!
……!!

…私《わたし》の腕《うで》では 足手《あしで》まといになります!
!?
お前《まえ》の判断《はんだん》を聞《き》いているのでは ない
避難《ひなん》が遅《おく》れている今《いま》は 住民《じゅうみん》の近《ちか》くに多《おお》くの精鋭《せいえい》が必要《ひつよう》だ
し…しかし!
オイ!
いいかげんにしろ ミカサ!
!?
人類滅亡《じんるいめつぼう》の危機《きき》だぞ!! なにテメェの勝手《かって》な 都合《つごう》を押《お》しつけてんだ!!
……
悪《わる》かった…
私《わたし》は冷静《れいせい》じゃ なかった…
でも… 頼《たの》みがある… 1つだけ…どうか…

死《し》なないで…
死《し》なないさ
…オレは
こんなところで
死《し》んでられ
ないんだ
ウウウウウウウウウウ
オレは　まだこの世界《せかい》の実態《じったい》を
何《なに》も知《し》らないんだから…
残《のこ》された歴史文献《れきしぶんけん》にも
巨人《きょじん》の発生原因《はっせいげんいん》は
記《しる》されておらず
不明《ふめい》な点《てん》が殆《ほとん》どである

現在《げんざい》明《あき》らかになっている巨人《きょじん》の生態《せいたい》などは調査兵団《ちょうさへいだん》の最新《さいしん》の報告書《ほうこくしょ》によるものである
巨人《きょじん》には人間《にんげん》のような知性《ちせい》は確認《かくにん》できず
よって我々《われわれ》との意志《いし》の疎通《そつう》は現在《げんざい》まで例《れい》がない
巨人《きょじん》の体《からだ》の構造《こうぞう》は他《ほか》の生物《せいぶつ》と根本的《こんぽんてき》に異《こと》なる…生殖器《せいしょくき》は存在《そんざい》せず繁殖方法《はんしょくほうほう》などは不明《ふめい》殆《ほとん》どが男性《だんせい》のような体《からだ》つきである
その体《からだ》は極端《きょくたん》に高温《こうおん》で難解《なんかい》なことに人間以外《にんげんいがい》の生物《せいぶつ》には一切《いっさい》の関心《かんしん》を示《しめ》さない
巨人《きょじん》の唯一《ゆいいつ》の行動原理《こうどうげんり》は人《ひと》を食《く》らうことだが…
そもそも巨人《きょじん》が人間《にんげん》のいない環境下《かんきょうか》で100年《ねん》以上《いじょう》存在《そんざい》していることを考《かんが》えると…食事《しょくじ》を摂《と》ること自体《じたい》 必要《ひつよう》無《な》いものであると推測《すいそく》できる

つまり…目的《もくてき》は捕食《ほしょく》ではなく
殺戮《さつりく》にあるのではないかとされている…
…そして
ここまで人類《じんるい》が追《お》いつめられた最大《さいだい》の原因《げんいん》は
巨人《きょじん》の驚異的《きょういてき》な生命力《せいめいりょく》にある
昔《むかし》から人類《じんるい》は巨人《きょじん》の頭《あたま》を吹《ふ》き飛《と》ばす程度《ていど》の力《ちから》は持《も》っていた
しかしそれだけでは対抗《たいこう》できなかった
個体差《こたいさ》はあるがなくなった頭部《とうぶ》は1~2分《ふん》ほどで元通《もとどお》りになってしまう

……
……そんな……
ただでかいだけでも厄介《やっかい》なのに…
ザワ…
教官《きょうかん》！それでは…
巨人《きょじん》は不死身《ふじみ》ですか!?
不死身《ふじみ》ではない…
カッ カッ
巨人《きょじん》を倒《たお》す方法《ほうほう》は1つ
カッ
ここを狙《ねら》う!!
後頭部《こうとうぶ》より下《した》うなじにかけてのこの部分《ぶぶん》
巨人《きょじん》は ここを大《おお》きく損傷《そんしょう》すると再生《さいせい》することなく絶命《ぜつめい》する
そのためには まず諸君《しょくん》らは この「立体機動装置《りったいきどうそうち》」を使《つか》いこなさなければならない
現在最《げんざいもっと》も有効《ゆうこう》な撃退手段《げきたいしゅだん》は機動力《きどうりょく》を生《い》かした格闘術《かくとうじゅつ》だ

この装置《そうち》は両手《りょうて》の柄《つか》で操作《そうさ》する
腰《こし》の両側《りょうがわ》にある射出器《しゃしゅつき》からアンカーを発射《はっしゃ》し
筒《つつ》の中《なか》から排出《はいしゅつ》された鉄線《てっせん》をガスの圧力《あつりょく》により巻《ま》き取《と》る
この付《つ》け替《か》え式《しき》の刃《やいば》が武器《ぶき》だ
硬《かた》い肉《にく》の塊《かたまり》を切《き》るために…刃《やいば》は敢《あ》えてしなるようにできている
そして この2本《ほん》の刃《やいば》を使《つか》って肉《にく》を削《そ》ぎ落《お》とす
この攻撃《こうげき》が巨人《きょじん》の急所《きゅうしょ》を捉《とら》えれば再生《さいせい》する時間《じかん》を与《あた》えずに即死《そくし》に至《いた》らしめる
やっとだ…
やっと…
役《やく》に立《た》てる

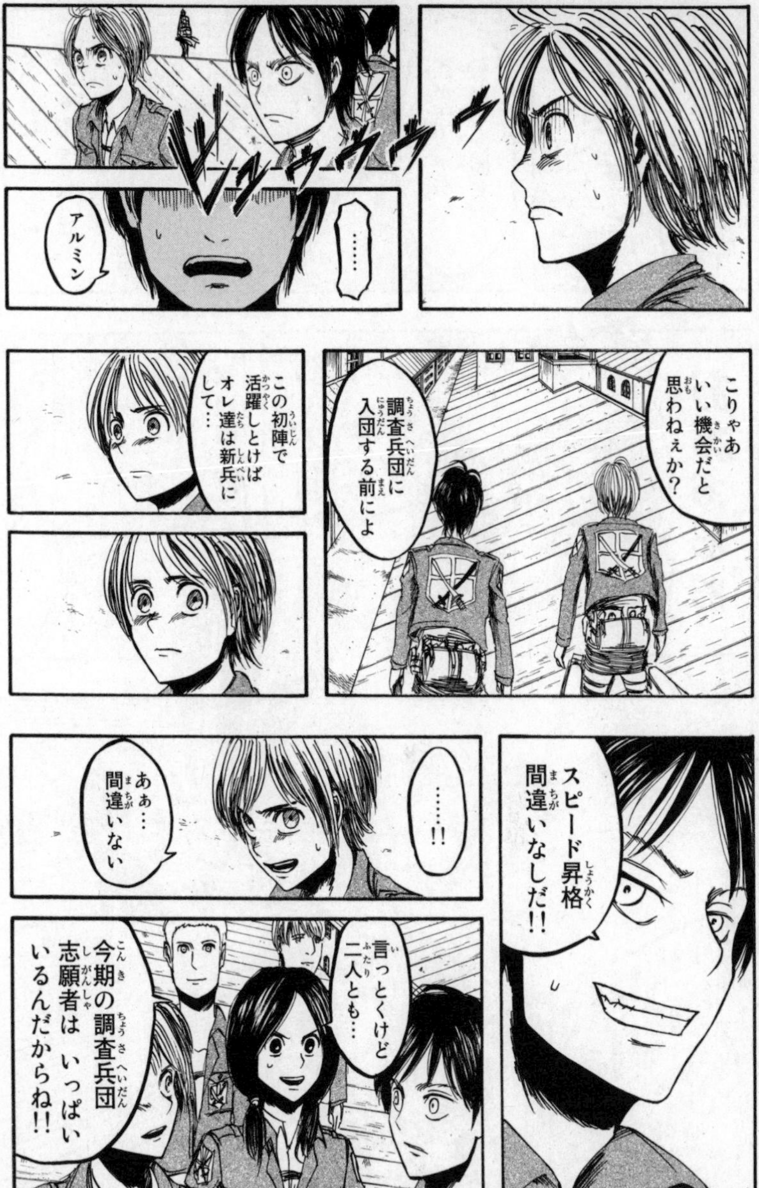
……
アルミン
こりゃあ いい機会《きかい》だと 思《おも》わねぇか？
調査兵団《ちょうさへいだん》に 入団《にゅうだん》する前《まえ》によ
この初陣《ういじん》で 活躍《かつやく》しとけば オレ達《たち》は新兵《しんぺい》に して…
スピード昇格《しょうかく》 間違《まちが》いなしだ!!
……!!
あぁ… 間違《まちが》いない
言《い》っとくけど 二人《ふたり》とも…
今期《こんき》の調査兵団《ちょうさへいだん》 志願者《しがんしゃ》は いっぱい いるんだからね!!

さっきはエレンに遅《おく》れを取《と》ったけど今回《こんかい》は負《ま》けないぜ!!
誰《だれ》が巨人《きょじん》を多《おお》く狩《か》れるか勝負《しょうぶ》だ!!
言《い》ったなトーマス!
数《かず》をちょろまかすなよ!!
34班《はん》前進《ぜんしん》!!
行《い》くぞ!!
おおぉぉぉ

なっ!?
あれは…!?
オレ達《たち》 中衛《ちゅうえい》まで前衛《ぜんえい》に駆《か》り出《だ》されている!?
巨人《きょじん》がもうあんなに…
何《なに》やってんだ普段《ふだん》威張《いば》り散《ち》らしている前衛《ぜんえい》の先輩方《せんぱいがた》は…

まだ殆《ほとん》ど時間《じかん》が経《た》ってないのに…
前衛部隊《ぜんえいぶたい》が総崩《そうくず》れじゃないか
決《けっ》して楽観視《らっかんし》していたわけじゃなかったが
これはあまりにも…
奇《き》行《こう》種《しゅ》だ!!
!!?
避《よ》けろッッ!!

ザザッ
!!
うっ…!?
うっ…!!

うわあ…
クッ…クソ!!
ト…トーマス!!

バギャ
ま…!!
待《ま》ちやがれ!!
よせ!
単騎行動《たんきこうどう》は――
エレン!!
下《した》にも1体《たい》――
うッ!!?

ゴオオオオオオ
そんな…
エレンが……
足《あし》が…
お…おい…
やばいぞ
止《と》まってる場合《ばあい》か!!
ガク

来《く》るぞ！
かかれッ!!

なんで……

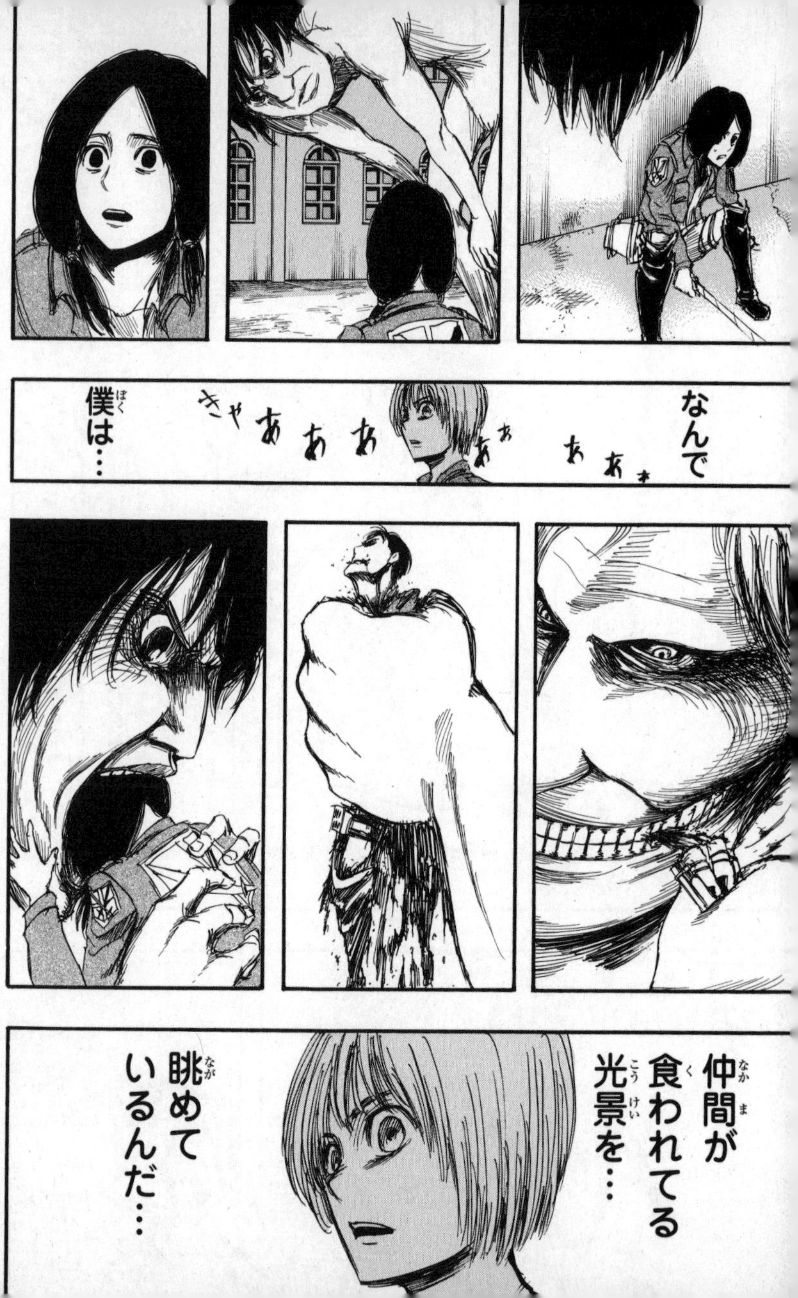
なんで
きゃあああああああああ
僕《ぼく》は…
仲間《なかま》が食《く》われてる光景《こうけい》を…
眺《なが》めているんだ…

ズシッ
ズシッ
どうして
僕《ぼく》の体《からだ》は
動《うご》かないんだ…
うあぁぁぁ

うあああああああ
ググ…
ハァッ
ア…アルミン……
ハァッ
ドクッ
ドク
ガクッ
ハァッ
ハァ…
ドクッ
ハァ…
ドクン
ハァ…
ドクン
ドクン

エレン！
ここにいたんだ!!
どうしたよアルミン
これ…じいちゃんが隠《かく》し持《も》っていたんだ！
外《そと》の世界《せかい》が書《か》かれてる本《ほん》だよ！
外《そと》の世界《せかい》の本《ほん》だって!? それっていけない物《もの》なんだろ!? 憲兵団《けんぺいだん》に捕《つか》まっちまうぞ!?
そんなこと言《い》ってる場合《ばあい》じゃないんだ!!
この本《ほん》によるとこの世界《せかい》の大半《たいはん》は「海《うみ》」っていう水《みず》で覆《おお》われているんだって!!

しかも「海《うみ》」は全部《ぜんぶ》塩水《しおみず》なんだって!!
……!! 塩《しお》だって!?
う…嘘《うそ》つけ!! 塩《しお》なんて宝《たから》の山《やま》じゃねぇか きっと商人《しょうにん》がすぐに取《と》り尽《つ》くしちまうよ!!
いいや! 取《と》り尽《つ》くせないほど「海《うみ》」は広《ひろ》いんだ!
……
んなわけ…
…!!
塩《しお》が山《やま》ほどあるだけじゃない!!
炎《ほのお》の水《みず》!
氷《こおり》の大地《だいち》!
砂《すな》の雪原《せつげん》!
きっと外《そと》の世界《せかい》はこの壁《かべ》の中《なか》の何倍《なんばい》も広《ひろ》いんだ!
外《そと》の世界《せかい》…
エレン!
いつか… 外《そと》の世界《せかい》を探検《たんけん》できるといいね…

うぅ…
うあああああ

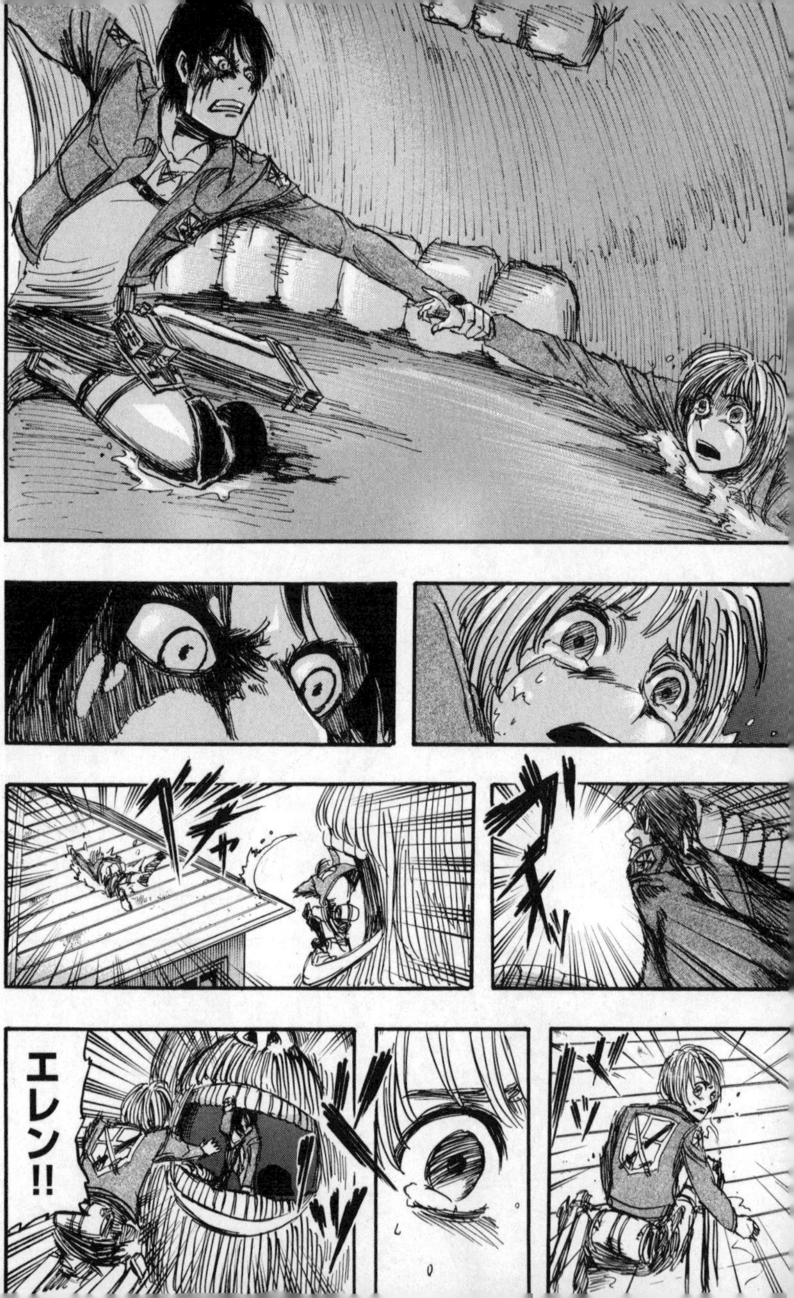
ベチャ
エレン!!

こんなところで…死《し》ねるか……
なぁ…アルミン…
お前《まえ》が……
お前《まえ》が教《おし》えてくれたから…
オレは……外《そと》の世界《せかい》に…
エレン!!
早《はや》く!!

ゴクン
うあああぁぁぁ

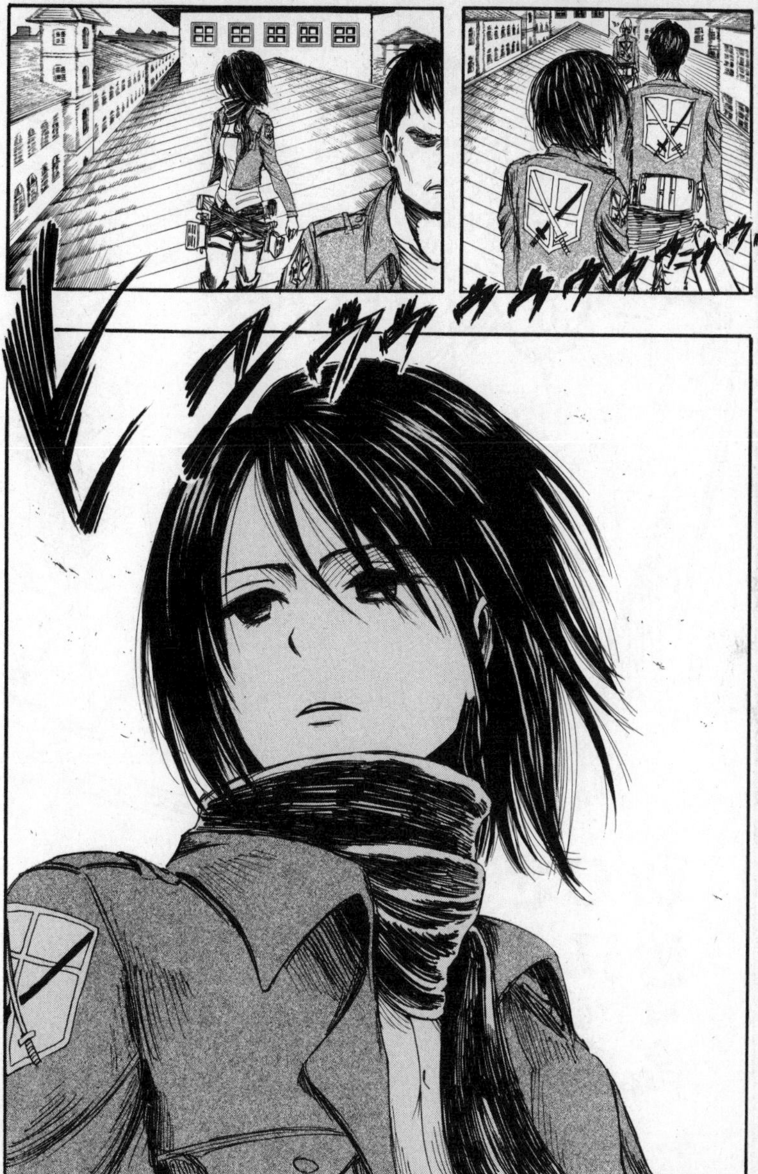

第《だい》2巻《かん》へ続《つづ》く 〈掲載／別冊少年マガジン2009年10月号〜2010年1月号〉

制作環境

新○さん
近江さん
高庭《時々》さん

進撃の巨人を
読んでくれた
みなさん

ありがとうございました

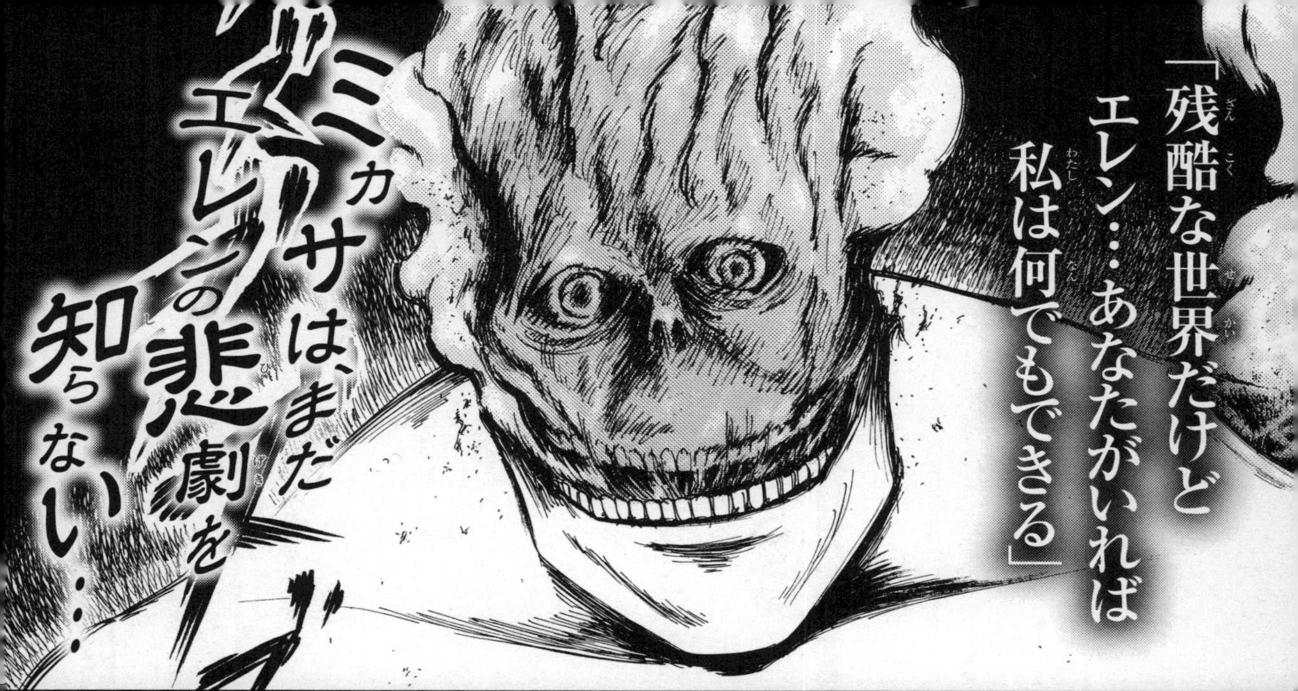

衝撃《しょうげき》加速《かそく》!! 単行本《たんこうぼん》第《だい》2巻《かん》絶賛《ぜっさん》発売中《はつばいちゅう》!!

編集部では、この作品に対する皆様のご意見・ご感想をお待ちしております。
また「講談社コミックス」にまとめてほしい作品がありましたら、編集部までお知らせください。
〈あて先〉
〒112-8001 東京都文京区音羽2-12-21 講談社
週刊少年マガジン編集部「少年マガジンKC」係
なお、お送りいただいたお手紙・おハガキは、ご記入いただいた個人情報を含めて
著者にお渡しすることがありますので、あらかじめご了解のうえ、お送りください。

★この物語はフィクションであり、実在の人物・団体・出来事などとは一切関係ありません。

作品初出／別冊少年マガジン2009年10月号〜2010年1月号

講談社コミックス マガジン KCM4276

進撃《しんげき》の巨人《きょじん》①

2010年 3月17日 第 1刷発行（定価はカバーに表示してあります）
2013年 5月20日 第23刷発行

著 者 諫山《いさやま》 創《はじめ》

発行者 清水保雅
発行所 株式会社 講談社
〒112-8001 東京都文京区音羽2-12-21
電話番号 編集部 東京(03)5395-3459
販売部 東京(03)5395-3608
業務部 東京(03)5395-3603
印刷所 大日本印刷株式会社
本文製版所 株式会社二葉写真製版
製本所 株式会社フォーネット社

講談社

N.D.C.726 191p 18cm Printed in Japan ISBN978-4-06-384276-0